"Lauren, mon a
où donc étais-tu?"

Joignant le geste à la parole, la main
d'Andreas se souleva faiblement et caressa
son cou.

"Tu as bien meilleure mine," déclara Lauren
d'une voix mal assurée, en essayant de se
dégager.

"Embrasse-moi," commanda-t-il.

Elle effleura ses lèvres tandis qu'il lui rendit
son baiser avec fougue. Elle s'arracha à lui et
se redressa haletante.

"Qu'y a-t-il?" s'enquit Andreas.

"Tu…tu dois rester tranquille. Il ne faut
pas t'énerver."

"Embrasse-moi encore," insista-t-il.

Lauren ne pouvait refuser, mais ce geste lui
coûtait tant…

DANS HARLEQUIN ROMANTIQUE

Charlotte Lamb
est l'auteur de

DANS COLLECTION HARLEQUIN

Charlotte Lamb
est l'auteur de

Ces titres sont disponibles chez votre dépositaire.

Celui qui hantait ses nuits

Charlotte Lamb

Harlequin Romantique

PARIS · MONTREAL · NEW YORK · TORONTO

Publié en Mai 1983

© 1980 Harlequin S.A. Traduit de *Storm Centre,*
© 1980 Charlotte Lamb. Tous droits réservés. Sauf pour des
citations dans une critique, il est interdit de reproduire ou
d'utiliser cet ouvrage sous quelque forme que ce soit, par des
moyens mécaniques, électroniques ou autres, connus
présentement ou qui seraient inventés à l'avenir, y compris la
xérographie, la photocopie et l'enregistrement, de même que
les systèmes d'informatique, sans la permission écrite de
l'éditeur, Editions Harlequin, 225 Duncan Mill Road, Don Mills,
Ontario, Canada M3B 3K9.

Le présent récit étant une œuvre de pure fiction, toute
ressemblance avec des personnes vivantes ou décédées
serait due au seul hasard.

La marque déposée des Editions Harlequin, consistant des
mots Harlequin et Harlequin Romantique, et de l'image d'un
arlequin, est protégée par les lois du Canada et des Etats-Unis,
ainsi que dans d'autres pays.

ISBN 0-373-41184-7

Dépôt légal 2ᵉ trimestre 1983
Bibliothèque nationale du Québec et Bibliothèque nationale
du Canada.

Imprimé au Québec, Canada—Printed in Canada

1

Lauren mettait une petite touche de blanc au cœur d'une sombre masse de nuages quand le téléphone sonna. Agacée, elle soupira. Elle avait horreur d'être dérangée pendant qu'elle peignait. Sa concentration s'envolait. Glissant le pinceau entre ses dents, elle se dirigea vers l'appareil, décrocha, et marmonna indistinctement :

— J'écoute !

— Pourrais-je parler à Miss Lauren Grey ?

Un léger accent étranger et une certaine hésitation caractérisaient cette voix.

La surprise et la méfiance apparurent immédiatement sur le visage de Lauren. Ôtant le pinceau de sa bouche, elle déclara :

— C'est elle-même.

— Lauren ?

Son interlocutrice sembla perdre encore de l'assurance.

— Qui êtes-vous ?

Le ton de Lauren était devenu inquiet et ses doigts se crispèrent sur le combiné.

— Lydia, répondit la femme, ajoutant très vite, comme si elle craignait que Lauren raccrochât en entendant ce nom : il fallait que je vous appelle. Andreas...

— Je refuse de parler de lui, coupa sèchement Lauren. Vous le savez très bien. Je ne veux pas vous faire de peine, Lydia, vous avez de bonnes intentions, mais je ne m'intéresse nullement à votre fils.

— Vous ne comprenez pas, Lauren, fit la femme en réprimant un sanglot.

— Mais si je comprends, soutint Lauren, les sourcils froncés. Oh, ne pleurez pas, Lydia ! Andreas ne le mérite pas.

Les sanglots redoublèrent de violence à l'autre bout du fil et, oubliant son pinceau, Lauren passa une main tremblante dans sa chevelure, y laissant des fils de peinture blanche.

— Lydia, cessez donc de pleurer ! Arrêtez, pour l'amour du ciel. Vous me désolez.

— Il est en train de mourir, gémit la voix brisée, de mourir, Lauren.

Pendant quelques instants, la jeune femme resta figée, regardant fixement le ciel gris par la fenêtre. Et puis tout à coup, il sembla qu'elle prît brutalement conscience de la signification des mots qui venaient d'être prononcés : son cœur se serra, sa gorge se noua, ses yeux s'agrandirent...

— Qu'est-ce que vous dites ?

— Il revenait d'Heathrow en voiture et il a eu un accident, à cause d'un camion qui s'est retourné. Andreas l'a aperçu trop tard. Il a fallu deux heures pour le dégager de son siège...

Un nouveau sanglot interrompit Lydia.

— Il a perdu beaucoup de sang.

— Oh mon Dieu ! fit Lauren, sans même se rendre compte qu'elle avait poussé cette exclamation.

Elle tremblait si violemment qu'elle dut s'appuyer contre le mur. Son visage était d'une pâleur effrayante. Le diamant scintilla à son annulaire lorsqu'elle porta la main à son front.

— Est-il dans le coma? demanda-t-elle après un silence.

— Justement, c'est pour cette raison que je vous appelle, expliqua vite Lydia. Il vient d'en sortir et le premier mot qu'il a prononcé était votre nom.

— Mon nom!

De surprise, Lauren ferma les yeux.

— Il voulait savoir où vous étiez et quand vous viendriez le voir.

Lydia parlait avec précipitation. Elle semblait redouter que Lauren ne raccrochât.

— Il croit que vous êtes encore sa femme.

Une longue pause embarrassée suivit cette déclaration. Lauren respirait difficilement, son regard affolé exprimait une profonde stupéfaction.

— Qu'est-ce qui vous le fait penser? lança-t-elle enfin sur un ton rauque.

— Il n'y a aucun doute à ce sujet, affirma Lydia. Il a dit : « Où est Lauren? Où est ma femme? » J'ai d'abord supposé qu'il était seulement un peu perturbé, mais au bout de quelques instants, je me suis rendue à l'évidence. C'est beaucoup plus grave. Il a perdu la mémoire, Lauren. Il ne se rappelle pas son divorce, ni ces cinq dernières années. Il a même oublié Niko. Quand je lui ai parlé de lui, il s'est écrié : « Qui? ». Là, j'ai vraiment eu peur.

— Son accident a-t-il provoqué un choc si important?

— Les docteurs le prétendent. Il a plusieurs blessures à la tête. On l'a opéré tout de suite, mais personne ne peut prédire s'il s'en sortira.

Lauren se mordilla les lèvres.

— Vous... vous m'avez dit qu'il était mourant. Est-ce l'avis des médecins?

— Vous les connaissez. Ils se réfugient derrière des propos évasifs, mais il suffit de les regarder pour comprendre ce qu'ils vous cachent.

— Mais qu'ont-ils dit exactement ?

— Oh, qu'il n'allait pas très bien... c'est leur manière de traduire qu'il va très mal. Il est grièvement atteint. D'après eux, il serait souhaitable que vous veniez.

— Que je vienne !

On ne voyait plus que les grands yeux verts écarquillés par la stupeur dans le visage livide de Lauren.

— Ecoutez, Lydia, pour rien au monde je ne...

— Il ne cesse de vous appeler, il demande sans arrêt pourquoi on l'empêche de vous voir. Lauren, ne comprenez-vous donc pas ? Il s'imagine que vous étiez dans la voiture avec lui et qu'on ne veut pas lui annoncer votre mort.

Lauren suivit le vol d'une mouette qui venait de s'élever au-dessus du fleuve, mouvant ses ailes blanches sans effort apparent. L'image d'Andreas se superposa à ce spectacle. Elle l'avait toujours connu débordant de vie et d'énergie. Il lui était impossible de se le représenter à l'agonie. Non, un homme comme lui était le symbole même de la force, de l'activité, de la passion d'exister.

— Je sais qu'il s'est bien mal conduit avec vous, Lauren, continua Lydia.

Une grimace amère étira la bouche de la jeune femme.

— C'est le moins qu'on puisse dire ! s'exclama-t-elle sans le vouloir.

— Mais il se meurt ! Vous ne pouvez pas refuser de le voir, vous ne pouvez pas !

Bien sûr, Lauren n'était pas un monstre. Elle connaissait son devoir, mais une rage impuissante s'empara d'elle.

— Je vous envoie une voiture, s'empressa d'ajouter Lydia. Vous n'aurez qu'à rester quelques minutes auprès de son lit. Ainsi, il constatera de lui-même que vous êtes indemne. Ce ne sera pas trop terrible, Lauren, n'est-ce pas ?

— Bon, entendu, accorda-t-elle avec lassitude, et elle entendit son interlocutrice soupirer de soulagement.

Elle reposa le combiné et contempla distraitement le ciel. Il s'était mis à pleuvoir. Les gouttes d'eau crépitaient contre les carreaux. Lauren n'avait pas vu Andreas depuis cinq ans. Au prix d'une longue lutte avec elle-même, elle avait réussi à le refouler tout au fond de sa mémoire. Pendant longtemps, il était venu la hanter nuit après nuit dans ses rêves, et elle s'était méprisée de ne pouvoir le rayer plus vite de sa vie.

Elle était encore très jeune lors de leur première rencontre. Sans expérience, prête à tout découvrir, elle avait docilement subi l'influence de cette personnalité dominatrice. Elle ne s'était même pas rendu compte qu'elle se livrait corps et âme à cet homme. Andreas l'avait entièrement subjuguée, faisant d'elle sa créature, la modelant à son idée comme un sculpteur un bloc d'argile. Il avait aimé jouer au maître tout-puissant avec elle. Et un jour, Lauren avait décidé de se soustraire à son pouvoir...

Tout les opposait. Il était aussi brun qu'elle était blonde, aussi sûr de lui et volontaire qu'elle était fragile, sensible et impressionnable. Leur union avait constitué une pure folie, mais Lauren aurait été incapable de lui résister, même si elle l'avait voulu. Attirée par lui comme un papillon par une brillante lumière, elle ne s'était pas souciée de se brûler les ailes, et Andreas s'était emparé sans aucun scrupule de cette jeune fille qui s'offrait à lui.

Dans son innocence d'alors, elle s'était imaginée qu'il partageait ses sentiments. Lui aussi, croyait-elle, s'abandonnait totalement et avec bonheur à leur amour. Longtemps, très longtemps, Lauren s'était laissé bercer par ses illusions. Le réveil à la réalité lui laissait un souvenir horrible.

Elle commençait seulement à se sentir complètement libérée d'Andreas. Elle pouvait enfin se préparer à vivre une nouvelle existence. Elle avait pensé ne plus jamais le revoir, même pas en rêve, et maintenant... Elle étouffa un gémissement. Il n'était pas encore trop tard pour refuser de se rendre à l'hôpital. Mais s'il était vraiment en train de mourir... Pouvait-elle se le permettre ?

Andreas était mourant, se répéta-t-elle sans réussir à y croire. Non, c'était inconcevable. Elle ne parvenait pas à se représenter le monde sans lui. Il devait vivre, ne serait-ce que pour laisser à Lauren la possibilité de le haïr.

Elle avait toujours éprouvé de l'affection pour Lydia, le seul membre de la famille Keralides qui lui eût manifesté de la gentillesse. Après le divorce, elle avait regretté de ne plus pouvoir la rencontrer. Mais, malgré les protestations de Lydia, elle avait tenu bon. Le nom d'Andreas aurait inévitablement surgi dans leurs conversations et Lauren souhaitait ne plus jamais entendre parler de lui.

Durant une longue période, Lydia n'avait cessé de téléphoner à Lauren, la suppliant d'accepter de revoir au moins une fois son fils. Lauren était restée inébranlable et son ex-belle-mère avait fini par se résigner. Tout était vraiment terminé entre elle et Andreas.

S'interrompant dans ce douloureux rappel du passé, Lauren baissa les yeux sur sa blouse et son jean couverts de peinture. Elle devait se changer. Elle se rendit dans la salle de bains, se déshabilla, prit une douche, et choisit ensuite une robe en lainage vert foncé.

Lorsqu'on frappa à sa porte, elle était prête. Ses longs cheveux blonds noués en chignon dégageaient son long cou. A part une ombre au fond de son regard, rien dans son visage ne trahissait son intense émotion.

Elle ouvrit et fronça les sourcils à la vue du personnage séduisant qui s'avançait vers elle.

— Bonjour, Lauren.

— Vous êtes...

Elle n'en croyait pas ses yeux. La dernière fois qu'ils s'étaient trouvés ensemble, il s'agissait d'un adolescent plutôt dégingandé.

— Stephanos !

Où étaient les longues jambes un peu disproportionnées par rapport au reste du corps, le léger duvet qui commençait à pousser sur les joues ? Stupéfaite, elle détailla longuement ce jeune homme de vingt ans, mince, élégant, aux cheveux très foncés. Il ressemblait encore bien plus qu'auparavant à son frère aîné.

— Comment allez-vous ? lui demanda-t-elle.

— Très bien, merci, fit-il d'une voix triste.

Il avait toujours été très attaché à Andreas et Lauren ne s'étonna pas de ce chagrin qu'il ne cherchait pas à cacher. Les Keralides formaient une famille très unie et jalousement repliée sur elle-même. Lauren avait eu bien du mal à s'y faire accepter. On lui avait au début réservé un accueil hostile et méfiant. Peu à peu, elle était tout de même parvenue à se tailler une place dans le clan, mais pour partir peu après.

Stephanos lui prit des mains son manteau de cuir et l'aida à l'enfiler.

— Il pleut, mais j'ai un parapluie, déclara-t-il.

Il paraissait pressé. Il l'entraîna jusqu'à la sortie de l'immeuble. Dès qu'ils passèrent la tête dehors, l'averse les fouetta violemment. Le parapluie ne les protégeait pas complètement et ils coururent jusqu'à la belle voiture qui était garée contre le trottoir.

Il y avait bien longtemps que Lauren ne s'était pas assise dans un véhicule aussi luxueux. Elle examina avec un petit sourire amer les sièges en cuir blanc, le tableau de bord aussi complexe que celui d'un avion. Stephanos lissa ses cheveux noirs et se tourna vers elle :

— Vous êtes encore plus belle que dans mon souvenir, Lauren.

Il la contemplait, ne déguisant pas son admiration, s'attardant sur les courbes harmonieuses de ses jambes.

Cette marque d'intérêt masculin aurait pu l'amuser si elle ne lui avait pas rappelé sa première rencontre avec Andreas.

— Comment va-t-il ? demanda-t-elle pour couper court. L'avez-vous vu ?

L'expression de Stephanos s'assombrit.

— Oui, je l'ai vu, fit-il en hochant la tête. Mais que puis-je vous dire ? Il est méconnaissable. Je ne supporte pas de rester auprès de lui, c'est trop terrible. Lui qui était si fort, si vigoureux est un homme brisé aujourd'hui.

Lauren ne put réprimer un tremblement.

— J'en suis navrée, murmura-t-elle.

— Vraiment ? s'enquit Stephanos avec une certaine agressivité. Je ne sais pas si je dois vous croire.

Elle ouvrit de grands yeux.

— Qu'est-ce que cela signifie ?

— Vous le détestez. Je ne vous en blâme pas, vous avez de bonnes raisons pour cela, mais je vous en prie, ne feignez pas un chagrin que vous n'éprouvez pas. Jouez la comédie pour ma mère, elle est incapable de détecter l'hypocrisie chez les gens. Moi, j'en ai horreur. Si j'étais Andreas, même au moment de mourir, je ne voudrais pas que vous veniez à mon chevet pour faire semblant de pleurer.

Blessée, Lauren se défendit vivement :

— Je ne fais semblant de rien, Stephanos ! Je vais voir votre frère parce que votre mère m'en a suppliée. En ce qui me concerne, je suis entièrement d'accord avec vous, c'est une absurdité pour moi de revoir Andreas. S'il avait tous ses esprits, je suis certaine qu'il serait du même avis. Mais j'aime beaucoup votre mère et je n'ai pas voulu lui refuser ce service.

Stephanos eut la délicatesse de rougir un peu et de paraître embarrassé.

— Pardonnez-moi, je n'avais pas le droit de vous parler ainsi.

— Non, vous n'avez aucun droit.

La sévérité du ton de Lauren accrut sa confusion. Il posa sa main sur son bras en un geste d'excuse.

— Lauren, je suis vraiment désolé. Je suis bouleversé par l'état d'Andreas. Je ne sais plus où j'en suis, ni ce que je dis. Mon frère a toujours été le pilier de la famille. Depuis la mort de notre père, c'est sur lui que je me suis appuyé.

Lauren se raidit à l'évocation du chef des Keralides. Elle ne voulait pas penser à Giorgios, son ennemi déclaré dès le premier jour. Lors de leur dernier entretien, il l'avait encore insultée et humiliée. Il était mort quelques mois après son mariage sans avoir le moins du monde changé de comportement à son égard.

— Nous devrions partir, suggéra-t-elle d'un air crispé.

— Oui, oui, bien sûr.

Stephanos mit le contact et la voiture démarra. La pluie ruisselait sur les vitres, limitant considérablement la visibilité.

— Si vous ne voulez pas vous retrouver dans le même hôpital que votre frère, vous feriez bien de ralentir ! lança-t-elle soudain sur un ton péremptoire.

— Je vous demande pardon.

Le ronflement du moteur diminua et le véhicule roula à une allure plus tranquille. Le bruit des essuie-glaces rythmait le silence entre le conducteur et sa passagère. Il prit un cigare et risqua un coup d'œil hésitant de son côté :

— Permettez-vous que je fume ?

— Je vous en prie, fit-elle sèchement.

Au bout d'un moment, elle l'interrogea :

— Que faites-vous Stephanos ? Travaillez-vous pour l'empire Keralides ?

— Oui, naturellement, répliqua-t-il avec un sourire qui éclaira ses traits charmeurs. Je suis à Londres depuis un an. Auparavant, j'ai passé une année avec Andreas à New York, puis il m'a envoyé ici pour acquérir encore davantage d'expérience.

— Aimez-vous cette ville ?

— Ce n'est pas Athènes, déclara-t-il avec une grimace.

— Non, admit-elle.

— Le soleil me manque.

— Comptez-vous rester en Angleterre ou repartir en Grèce ?

— Je ne sais pas encore. Cela dépend d'Andreas... s'il ne meurt pas, ajouta-t-il d'une voix étranglée.

— Mais il vivra, voyons ! s'exclama violemment Lauren. Ne soyez pas si pessimiste ! Andreas vous le reprocherait. Il ne faut pas douter de son rétablissement.

— Vous ne croyez pas vous-même ce que vous dites, sinon vous ne seriez pas ici.

La logique de cette réponse médusa la jeune femme. Elle regarda la route droit devant elle en essayant de réprimer les larmes qui lui montaient aux yeux. Stephanos avait raison, évidemment. Derrière son apparente tranquillité s'agitait une folle inquiétude qu'elle s'efforçait d'ignorer.

La voiture s'engagea dans une allée, une ambulance lui barra le passage pendant quelques instants. Stephanos en profita pour éteindre son cigare, puis il pianota impatiemment sur son volant.

Le véhicule se remit ensuite en route pour s'immobiliser un peu plus loin devant une entrée vitrée. Stephanos en sortit afin d'ouvrir la portière pour Lauren.

— Attendez-moi. Je n'en ai pas pour longtemps, je

vais me garer, déclara-t-il avant de regagner sa place au volant.

Il ne pleuvait plus, mais le ciel toujours gris dispensait un éclairage sinistre. Une nouvelle averse menaçait. Des gouttes d'eau tombaient une à une d'une avancée du toit avec un petit bruit mélancolique.

Stephanos réapparut et prit Lauren par le bras.

— Par ici.

Ils traversèrent le hall et montèrent dans un ascenseur où plusieurs personnes pénétrèrent à leur suite. Il s'éleva sans douceur et, au premier arrêt, Stephanos se fraya un passage parmi les gens en murmurant :

— Excusez-moi.

Lauren se laissait guider comme une aveugle. Son cœur battait si fort que tout le monde devait l'entendre, se dit-elle.

Elle n'avait pas vu Andreas depuis cinq ans.

Une odeur d'antiseptique flottait dans le couloir. Les hauts talons de la jeune femme s'enfonçaient dans le revêtement bleu caoutchouté du sol. Pas un son ne filtrait des portes identiques qui s'alignaient à droite et à gauche. Stephanos s'arrêta devant l'une d'entre elles et Lauren se retrouva dans une antichambre. Lydia accourut soudain vers elle, les bras grands ouverts.

— Oh, ma chère Lauren !

Elles s'embrassèrent et restèrent un instant joue contre joue. Puis Lauren examina son ex-belle-mère. La peur et la douleur conféraient une impressionnante profondeur à ses yeux noirs. Elle avait vieilli, elle était désormais une femme âgée. Le temps avait gagné, desséchant sa silhouette, ridant sa peau.

— Comme vous m'avez manqué ! s'exclama-t-elle en tentant de sourire.

— A moi aussi, répliqua Lauren à contrecœur, presque froidement.

Elle s'en voulait de se sentir si émue. Lydia s'en rendit compte.

— C'est l'ironie du sort, déclara-t-elle. Je n'aurais jamais cru que des circonstances aussi dramatiques nous réuniraient de nouveau.

Lauren détourna son regard et s'intéressa aux autres personnes qui se trouvaient dans la pièce. Sybil, la seule fille de la famille, n'avait absolument pas changé. Elle était l'épouse d'un homme de loi grec et, lorsque Lauren l'avait rencontrée pour la dernière fois, son ménage comptait quatre enfants, dont trois garçons. Ne portant pas le nom des Keralides, ils ne pouvaient pas prétendre à occuper une place importante dans le clan, et Sybil avait toujours nourri une jalousie absurde envers Lauren. En effet, en tant que femme d'Andreas, elle aurait pu mettre au monde les héritiers de la famille Keralides.

Assis à côté de Sybil, Gregori semblait équilibré, sûr de lui et prospère dans son complet impeccablement coupé. Andreas avait entretenu d'étranges rapports avec son cousin, un Keralides lui aussi, qui possédait sa part de l'empire étendu de New York à Athènes, en passant par Londres et Paris. Il ne s'était jamais montré hostile envers Lauren, loin de là. Lui témoignant même parfois trop d'empressement, il l'avait obligée à rester sur ses gardes. Il lui souriait à présent en la saluant.

Un petit garçon se tenait près de lui et lui donnait la main. Lauren sut tout de suite de qui il s'agissait et son cœur se serra.

Lydia remarqua son regard et annonça :

— Voici Niko.

L'enfant quitta son siège et courut vers Lydia qui ébouriffa gentiment sa chevelure sombre en ajoutant :

— Lauren, je vous présente Niko.

Le trouble et la colère assaillirent la jeune femme tandis qu'elle étudiait le visage levé vers elle.

« Il ressemble à son père », pensa-t-elle. Elle reconnaissait les yeux des Keralides, noirs, légèrement en amande, bordés de cils épais et recourbés, le nez droit et fier. Seule la tendre bouche rose était encore trop jeune pour lui rappeler celle qui s'était si souvent emparée de la sienne, lui volant son souffle.

— Bonjour, Niko, fit-elle doucement.

Le garçonnet fixa sur elle un regard pénétrant, comme s'il n'ignorait rien de la terrible histoire. Et pourtant, ils ne lui avaient sûrement rien dit ! Lauren éprouva soudain l'inexplicable désir de le prendre dans ses bras, de le serrer contre elle, mais Sybil s'approcha, ses gestes trahissant la même hostilité que cinq ans plus tôt. Elle reconduisit l'enfant jusqu'à sa chaise.

Lydia la laissa faire en poussant un soupir, puis elle s'adressa à Lauren :

— Etes-vous prête à le voir maintenant ?

Avant d'ouvrir la porte, elle se tourna encore vers la jeune femme.

— Vous serez prudente, n'est-ce pas ?

Lauren pinça les lèvres.

— Je ne l'accablerai pas de reproches, Lydia, si c'est ce que vous craignez.

Lydia esquissa une moue de reproche.

— Ne dites pas de bêtises, je vous en prie. Je sais que vous êtes bouleversée, mais nous le sommes tous.

— Oui, pardonnez-moi.

Lydia déposa un baiser sur sa joue.

— Il est très faible, vous allez voir. Ne l'encouragez pas à parler, il s'épuiserait. Souriez-lui seulement.

Lui sourire ! Le cœur de Lauren chavira. Lydia se rendait-elle compte de ce qu'elle lui demandait ? Elle passa sa main dans ses cheveux et son ex-belle-mère vit briller le diamant.

— Il faut enlever cette bague ! s'écria-t-elle. Que s'imaginerait-il ?

— Je suis fiancée, je vais me marier, annonça Lauren d'un air buté.

— Vous ne comprenez pas, insista Lydia. Il est persuadé que vous êtes toujours sa femme.

— Il se trompe, marmonna Lauren, ne pouvant contenir une violente rancune.

— Il vous suffira de faire semblant pendant un petit moment, supplia Lydia sur un ton angoissé. Il est trop gravement atteint pour supporter la vérité. N'importe quel choc peut précipiter sa fin. Voulez-vous avoir sa mort sur la conscience ?

— Oh, mon Dieu ! gémit Lauren, le regard étincelant de colère et d'exaspération. Vous exigez vraiment beaucoup de moi !

Elle retira lentement sa bague.

— Voilà. Etes-vous satisfaite ?

Lydia la considéra d'un air hésitant. Fulminant d'impatience, Lauren la questionna :

— Qu'y a-t-il encore ?

Lydia fouilla dans son sac à main et tendit un anneau à Lauren. Celle-ci eut un sursaut en le reconnaissant.

— Ah non ! s'écria-t-elle.

— Il est en train de mourir, répéta Lydia sur un ton lourdement accusateur. Vous ne me refuserez pas ce service.

Douce de nature, elle se révélait dans cette circonstance inflexiblement résolue. En frémissant, Lauren récupéra son alliance et la glissa à son doigt. Il s'agissait d'un bijou de famille représentant deux serpents enroulés l'un autour de l'autre. Il avait souvent suscité la curiosité de ses amis. Cinq ans plus tôt, Lauren l'avait retiré pour le lancer à travers la pièce au visage de son beau-père. Giorgios s'était baissé et l'avait ramassé d'un air imperturbable en déclarant :

— Maintenant, il sera enfin porté par la personne à laquelle il est destiné, par celle qu'Andreas aurait dû épouser à votre place.

Lydia prit gentiment Lauren par le bras.

— Je vous remercie, ma chérie. Venez à présent. Il vous attend. Quand je lui ai dit, il y a un moment, que vous étiez en route pour l'hôpital, il était fou de joie.

Le cœur palpitant et les paumes moites, Lauren pénétra dans la chambre.

Des bandages entouraient la tête d'Andreas, l'un de ses bras était dans le plâtre et des pansements apparaissaient dans l'échancrure de sa veste de pyjama.

Lauren retarda au maximum l'instant de rencontrer le regard noir qui la fixait intensément. Elle ne se décidait pas à avancer. Par derrière, Lydia la poussa discrètement.

— Lauren...

La voix d'Andreas se réduisait à un murmure à peine audible.

Elle s'approcha du lit en tremblant.

— Je croyais que tu étais morte et qu'ils ne voulaient pas me le dire, fit-il faiblement en s'interrompant entre chaque mot pour respirer.

— Je n'étais pas là, mentit-elle. Je suis revenue dès qu'on m'a avertie.

Il l'observa. Ses yeux n'avaient rien perdu de leur éclat.

— N'aie pas peur. Je ne veux pas mourir. Je me demandais si je pourrais continuer à vivre sans toi, mais à présent, j'ai l'intention de me rétablir, pour toi, *eros mou.*

Eros mou! Il lui sembla qu'un souffle glacé la parcourait quand elle l'entendit l'appeler « mon amour ». Jetant un coup d'œil par-dessus son épaule, elle aperçut Lydia aux aguets, le visage implorant et défait.

Lorsqu'elle reporta de nouveau son attention sur Andreas, il la considérait d'un air soucieux.

— Tu ne m'embrasses pas, Lauren?

Sa manière sensuelle de prononcer son nom l'avait toujours fait rougir. Elle s'empourpra cette fois encore et une lueur bien connue brilla dans les yeux de son ex-mari.

Elle se pencha et effleura ses lèvres. Elle comptait se

redresser aussitôt, mais Andreas leva son bras valide et lui caressa la tête. Elle se trouvait si près de lui qu'elle pouvait voir la lumière parsemer ses yeux noirs de minuscules paillettes d'or. Sa main retomba brutalement et il ferma les paupières.

Lydia entraîna aussitôt Lauren hors de la chambre.

— Il s'endort ainsi, d'une seconde à l'autre, expliqua-t-elle. Mais aujourd'hui, son sommeil sera meilleur car il est rassuré sur votre sort. Merci, Lauren.

Celle-ci pivota vers son interlocutrice.

— Ne me remerciez pas, pour l'amour du ciel !

— C'était une épreuve pour vous, j'en suis consciente.

— Une épreuve !

Blanche comme un linge et secouée de frissons, Lauren lança :

— C'était l'enfer, ni plus ni moins ! En quoi croyez-vous que je suis ? En acier ? J'ai dû le voir, l'embrasser, le laisser m'appeler... *eros mou !* Mon Dieu, j'ai eu l'impression que j'allais m'évanouir, et vous osez me remercier !

Elle ôta le lourd anneau d'or et le plaça sans douceur dans la main de Lydia.

— Je ne veux plus jamais revoir cet objet, ni aucun d'entre vous !

Elle repoussa Lydia et s'enfuit de l'hôpital en courant comme si elle avait le diable à ses trousses. Des sanglots se mêlaient à sa respiration haletante. Une fois dehors, elle hésita. Elle décida finalement de prendre un taxi mais, quand elle se retourna, Stephanos arrivait derrière elle.

— Laissez-moi ! cria-t-elle.

— Je vais vous raccompagner chez vous.

— Non, je rentre en taxi.

— Ne soyez pas stupide, je vous raccompagne.

— Ne comprenez-vous donc pas ? s'emporta-t-elle.

Je désire être seule. J'ai assez vu les Keralides pour aujourd'hui !

Elle éclata d'un rire hystérique.

— Que dis-je ? Je les ai assez vus pour toujours !

— Je vous comprends, affirma Stephanos, se montrant tout à coup bien mûr pour son âge. Mais je ne peux pas vous abandonner dans cet état. Lydia m'a ordonné de vous raccompagner.

Il la prit par le bras et l'entraîna de force jusqu'à sa voiture. Le trajet se déroula dans un silence absolu. Arrivé devant l'immeuble, Stephanos éteignit le contact et se tourna vers Lauren.

— Ma mère m'a chargé de vous dire...

— Je ne veux rien savoir ! cria-t-elle en ouvrant la portière.

Elle fut hors du véhicule en une seconde. Stephanos en sortit à son tour mais, malgré sa rapidité, il ne réussit pas à la rejoindre assez vite. Elle lui claqua la porte de son appartement au nez et s'effondra contre elle, le visage inondé de larmes.

Stephanos frappa et l'appela en vain. Il finit par se lasser, et elle écouta le bruit de ses pas décroître dans le couloir.

2

La tête légèrement penchée sur le côté, Philip étudiait la dernière toile de Lauren.

— Vous faites des progrès chaque jour. Vous n'allez pas tarder à dépasser Jimmy. En êtes-vous consciente ?

— Et lui ? répliqua Lauren en riant, ses yeux verts brillant de fierté.

— Il le sait, évidemment, il l'a même su avant nous. Il a toujours dit qu'un bel avenir vous attendait.

Philip s'approcha encore davantage du tableau et examina la rangée d'arbres qui en occupait le côté gauche.

— C'est très bien, Lauren, vraiment très bien. Vous êtes impardonnable.

— Qu'est-ce que cela signifie ? lança-t-elle en s'interposant entre lui et la toile pour se glisser dans ses bras.

Il la serra contre lui et embrassa délicatement son nez, ses joues et ses paupières.

— Vous possédez la beauté et le talent, expliqua-t-il. C'est injuste.

— Par rapport à qui ? fit-elle gaiement.

— Par rapport aux autres femmes.

Le visage de Philip respirait l'humour et la gentillesse. Lauren le considéra avec affection et elle se laissa aller contre lui en toute confiance.

— Je vous aime, murmura-t-elle.

Il haussa les sourcils d'une manière comique.

— Quand je vous fais des compliments ?

— Non, à tout instant, affirma-t-elle.

— Je suis heureux de l'entendre.

Il s'écarta soudain un peu pour consulter sa montre.

— Je dois partir. J'ai rendez-vous avec un client à onze heures.

Lauren poussa un soupir de dépit.

— Vraiment ? Je suis si contente de vous avoir un moment à moi. Nous nous sommes à peine vus cette semaine.

Elle éprouvait pourtant un grand besoin de se retrouver en sa compagnie, surtout depuis qu'elle s'était rendue au chevet d'Andreas. Elle baissa les yeux à ce souvenir. Elle n'en avait pas encore parlé à Philip. Elle comptait bien sûr lui raconter sa visite à l'hôpital mais jusqu'à présent, les mots s'étaient arrêtés au bord de ses lèvres. Philip se mettait en colère dès qu'elle évoquait Andreas, c'était sans doute cette raison qui la retenait.

— Lorsque nous serons mariés, la situation sera différente, affirma-t-il. Très différente.

Il adressa à Lauren un sourire prometteur. Elle le connaissait depuis l'enfance et ne ressentait nulle hâte à devenir sa femme. Il lui suffisait de se trouver auprès de lui. Sa compagnie lui apportait une inappréciable chaleur et beaucoup de bien-être.

Il n'était pas vraiment beau. Il lui manquait le charme qui faisait d'Andréas un homme irrésistible. Lauren aimait cependant son visage aux traits accusés et son gentil sourire.

Quant à lui, il était épris d'elle depuis des années. Même durant l'année de son mariage avec Andreas, il ne lui avait pas caché ses sentiments. Toutefois, Lauren ne s'était décidée que récemment à se tourner vers lui. Il lui offrait la sécurité dont elle avait besoin.

— Jimmy revient d'Espagne dans deux jours, annonça-t-il sur le seuil de l'appartement.

— Je sais, il m'a envoyé un télégramme.

Elle éclata de rire.

— Il a dû lui coûter une fortune. Il s'agissait plus d'une lettre que d'un télégramme, et il l'avait rédigé dans un tel état d'excitation que j'ai eu du mal à le comprendre.

— Son travail marche bien, il déborde d'enthousiasme, commenta Philip, l'air amusé.

— Vous a-t-il aussi envoyé un télégramme ?

— Non, il m'a téléphoné. Je n'ai pas compris grandchose non plus et je voudrais bien savoir qui est Emma.

Lauren fronça les sourcils.

— Emma ? Je n'en ai aucune idée. Mais vous connaissez mon cher père. Emma est un modèle, je suppose.

— Je n'aurais pas dû vous en parler, regretta Philip.

— Pourquoi ? Je suis une grande fille à présent. Le temps où Jimmy me cachait ses aventures est passé. Je me demande si celle-ci sait faire la cuisine. Vous souvenez-vous de Pascale ? C'était un vrai cordon bleu.

— Et un merveilleux modèle, compléta Philip, le regard perdu dans ses souvenirs. Elle avait un buste fantastique.

Ses yeux rencontrèrent ceux de Lauren et ils éclatèrent de rire tous les deux.

— Ah, vous n'avez pas oublié ! plaisanta-t-elle.

— Vous n'avez pas l'air très jalouse, Lauren, remarqua-t-il en redevenant soudain grave et presque sombre.

Ces paroles la tracassèrent, mais déjà Philip se penchait, l'embrassait et la quittait. Elle regagna son atelier et se posta à la fenêtre. Un beau soleil d'automne brillait dans le ciel bleu. Après toute une période de pluie et de vent, ces derniers jours avaient été plus cléments. Les arbres dénudés démentaient toutefois cette apparence d'été.

Elle n'avait pas l'air jalouse... Ah, si Philip savait combien elle pouvait l'être pourtant ! Elle songea aux cruels tourments qu'elle avait endurés et ses mains se portèrent tout naturellement sur son cœur, comme si le démon de la jalousie allait de nouveau le dévorer.

— Mon Dieu ! gémit-elle malgré elle, et sa voix résonna dans la pièce comme celle d'une étrangère.

Elle n'avait plus de nouvelles des Keralides depuis le jour de sa visite à l'hôpital. Andreas avait probablement retrouvé la mémoire. Depuis l'entrefilet signalant son accident, les journaux ne parlaient plus de lui. Il n'était donc pas mort. D'ailleurs l'article minimisait l'affaire, dissimulant la gravité de ses blessures. Les Keralides tenaient à protéger leur vie privée. Par ailleurs, la menace pesant sur la vie d'Andreas Keralides risquait d'avoir des répercussions à la bourse, et la famille avait intérêt à étouffer l'information le plus longtemps possible.

Lauren avait été tentée d'appeler l'hôpital pour se renseigner sur sa santé. Le téléphone déjà en main, elle avait renoncé. Si un malheur arrivait, elle était sûre de l'apprendre d'une manière ou d'une autre.

Il ne lui avait pas été aisé de résister au désir de savoir. Le fait de revoir Andreas avait rouvert d'anciennes blessures. Le sommeil de Lauren s'était de nouveau dégradé ; son ex-mari revenait hanter ses rêves. Si son orgueil ne l'en avait pas empêchée, elle serait peut-être même retournée à l'hôpital... pour le regarder encore une fois et l'écouter murmurer *eros mou*. Elle n'aurait jamais cru qu'elle entendrait de nouveau ces paroles.

Se rendant subitement compte qu'elle s'égarait, elle s'écarta vivement de la fenêtre. Elle était furieuse contre elle-même. S'emparant de son carnet de croquis, elle se mit au travail. Un visage naissait peu à peu sur la page blanche. Lorsqu'elle s'arrêta pour l'examiner, elle reconnut les traits délicats de Niko et un cri de protestation lui échappa.

Son subconscient la trahissait. Elle arracha la feuille et la déchira juste au moment où quelqu'un frappait à la porte. Elle se leva pour aller ouvrir.

Lydia se tenait sur le seuil dans une attitude à la fois timide et courageuse.

— Que voulez-vous ? questionna brutalement Lauren.

— Ne désirez-vous pas savoir s'il est vivant ou mort ?

Lauren pinça les lèvres.

— S'il était mort, je le saurais. Tout le monde serait au courant.

Lydia posa sur elle un regard lourd de réprobation.

— Comment pouvez-vous vous montrer aussi cruelle ? Il a besoin de vous. Allez le voir. Pourquoi n'êtes-vous pas retournée une seule fois à l'hôpital ?

Lauren passa ses deux mains dans sa chevelure, ne se souciant pas de détruire le bel ordre de sa coiffure.

— Lydia, n'aurez-vous donc pas pitié de moi ?

— Je ne vous mets pas à contribution de gaieté de cœur, avoua-t-elle, mais Andreas passe avant tout pour moi.

— Bien sûr. Andreas passe toujours avant tout.

— Comme vous êtes aigrie !

Lydia la fixait avec intensité.

— Il n'a presque pas été conscient depuis votre première visite, c'est pourquoi je ne vous ai pas appelée. Mais à présent, il est réveillé, bien réveillé, et il vous réclame.

Lauren pâlit à ces paroles.

— Vous voulez dire qu'il n'a pas retrouvé la mémoire ?

Lydia fit non de la tête.

— Mon Dieu !

D'un geste, Lauren invita son ex-belle-mère à péné-

26

trer dans l'appartement et celle-ci examina l'atelier avec curiosité.

— C'est donc ici que vous travaillez! Vous avez réussi à vous imposer, j'ai entendu parler de vous. Votre père doit être fier.

Lauren acquiesça distraitement et marcha jusqu'à la fenêtre.

— Je ne peux pas retourner voir Andreas, déclarat-elle soudain. S'il a récupéré des forces, il est temps de lui révéler la vérité.

— Et de risquer de le tuer! lança Lydia.

— Je suis sûre qu'il résistera au choc.

— Vous l'avez pourtant entendu vous-même l'autre jour. Sans vous, il n'a pas envie de vivre.

Lauren pivota brutalement sur ses talons. Elle tremblait, ses yeux étaient noirs de colère.

— Il a très bien vécu sans moi pendant cinq ans! Il ne périra certainement pas si on lui rappelle que nous avons divorcé.

— Il l'a complètement oublié, insista Lydia. Personne ne peut prévoir comment il réagira si on le lui dit.

— Andreas est robuste, affirma Lauren avec un rire amer. Il est solide comme un roc.

— Plus maintenant, poursuivit obstinément Lydia. Il est faible, il ne tient plus à la vie que par un fil, et je me refuse à couper ce fil en lui parlant d'un événement qu'il veut ignorer.

Son regard croisa celui de Lauren et la jeune femme retint son souffle.

— Qu'est-ce que cela signifie? Pourquoi veut-il ignorer notre divorce?

— Ah Lauren, s'exclama Lydia, vous devinez sûrement! J'ai eu l'avis d'un psychiatre à ce sujet. Andreas n'a pas tout simplement perdu la mémoire. Un désir inconscient l'incite à repousser une partie de son passé.

Piétinant nerveusement sur place, Lauren déclara:

— Je vois où vous voulez en venir, Lydia, mais je ne

marche pas. Vous n'avez jamais pu vous faire à l'idée que tout est fini entre Andreas et moi. Mais cet accident n'y changera rien, ne vous bercez pas d'illusions. Je me remarie dans trois mois.

Ne tenant aucun compte des propos de Lauren, Lydia continua sur sa lancée :

— Le médecin prétend qu'il s'agit d'un système d'autodéfense chez Andreas. Il sait combien il est atteint, il sait qu'il risque de mourir et, pour se rassurer, il s'évade en pensée dans une époque où il était heureux. Il y puise une raison de vivre.

— Je ne vous crois pas, soutint Lauren.

— C'est pourtant vrai, ma chère. Andreas n'a pas complètement perdu la mémoire, il a seulement oublié les cinq dernières années. Tenez, il ne reconnaît même pas son fils et pourtant, il l'adore. Lorsqu'on lui présente Niko, il le regarde sans la moindre émotion et demande : « Qui est-ce ? »

Lauren se mordilla les lèvres.

— Pauvre petit ! En souffre-t-il beaucoup ?

— Il a été bouleversé, expliqua Lydia en soupirant. Mais je lui ai exposé le plus clairement possible l'état de son père et il semble avoir compris.

Croisant les bras avec détermination, Lauren affirma encore :

— De toute façon, cela ne change rien pour moi. Je ne peux pas retourner le voir.

— Je vous en supplie, Lauren !

Après une brève hésitation, la jeune femme se résigna ; elle n'avait guère le choix. Lydia ne la quitterait pas avant d'avoir obtenu son accord.

— Bon, entendu ! fit-elle en soupirant.

Une fois dans la voiture, Lydia la questionna :

— Comment a réagi votre fiancé lorsque vous lui avez raconté votre visite à Andreas ?

— Je ne lui en ai pas parlé, répliqua sèchement Lauren sans regarder sa compagne.

— Craignez-vous qu'il ne soit contrarié ?

Lauren ricana d'une manière cynique.

— Je doute qu'il soit content. Je vais l'épouser et je me rends au chevet d'un autre homme pour faire semblant d'être sa femme. Pensez-vous que cela doive lui faire plaisir ?

— Autant que je m'en souvienne, Philip est plutôt large d'esprit et compréhensif ? Je suis sûre qu'on peut s'expliquer avec lui.

Lydia ignorait-elle donc que Philip détestait Andreas depuis l'instant où il avait fait sa connaissance ? Lauren se rappelait comme si c'était hier cette fameuse soirée, six ans plus tôt. Jimmy avait organisé une grande exposition qui attira beaucoup de monde. Dès ce premier soir, il vendit plusieurs toiles. Les élégantes couvertes de bijoux qui paradaient dans la salle s'étaient toutes retournées à l'entrée d'Andreas Keralides. Derrière lui marchaient deux gardes du corps en complets noirs, aux visages impassibles. Lauren se tenait avec Philip à l'autre bout de la galerie et, suivant des yeux la haute silhouette qui allait de tableau en tableau, elle avait demandé :

— Qui est-ce ?

L'avidité curieuse avec laquelle les autres femmes observaient ce personnage l'amusait.

— Vous ne le reconnaissez pas ! avait dit Philip avec un sourire. C'est Andreas Keralides.

Elle avait poussé un cri de stupéfaction.

— C'est lui, vraiment ! Il n'a pas du tout l'air d'un magnat des affaires !

— De quoi a-t-il l'air ? s'était enquis Philip, les yeux rieurs, en considérant son interlocutrice avec tendresse.

Elle sortait tout juste de l'école. A dix-huit ans, elle entamait sa première année d'études artistiques. Elle portait encore ses cheveux en une longue queue de cheval qui se balançait dans son dos.

— Je ne sais pas, avait-elle répliqué en étudiant

rêveusement cet homme grand, large d'épaules, aux traits nets et fermes, au regard pénétrant. Elle l'avait trouvé beau et soudain, il s'était orienté dans sa direction. Elle avait alors découvert sa bouche à la fois dure et sensuelle.

Rougissante, elle avait précipitamment détaché ses yeux de lui. Au même moment, Philip entourait ses épaules de son bras en un geste de protection et de possession.

Elle s'était laissé entraîner plus loin, toute frémissante encore du choc reçu pendant cette seconde où elle avait croisé le regard d'Andreas Keralides.

Puis son père s'était joint à eux, engageant une conversation avec Philip. Celui-ci dirigeait la galerie depuis trois ans. Il était le meilleur ami de Jimmy et son conseiller artistique, rôle tenu avant lui par son père. A la mort du vieil homme, Jimmy avait reporté son affection sur lui et il l'aimait comme un fils.

Tandis qu'ils bavardaient, Lauren s'était éloignée, se promenant de-ci, de-là pour surprendre les commentaires des gens sur l'œuvre de son père. Une grande femme maigre vêtue de soie abricot avait fait claquer sa langue d'une manière réprobatrice devant un tableau :

— Mais qu'est-ce que cela représente ? C'est comme si on me parlait chinois !

Lauren était partie plus loin en étouffant un petit rire. Ses pas l'avaient tout à coup conduite sur le chemin d'Andreas Keralides. Un sourire s'était épanoui sur son visage, illuminant jusqu'à ses yeux sombres, et il avait murmuré :

— Bonsoire, Miss Grey.

Lauren avait immédiatement su qu'elle n'oublierait jamais cette voix grave, profonde, aux accents légèrement étrangers.

Elle avait tressailli sans le vouloir.

— Comment savez-vous mon nom ?

Elle se jugea aussitôt stupide d'avoir posé cette

30

question. Avec sa queue de cheval, elle devait ressembler à une écolière échappée de son pensionnat.

Les sourcils relevés d'une manière gentiment moqueuse, Andreas Keralides avait répondu en riant :

— J'ai demandé.

Elle s'était violemment empourprée. A l'idée d'avoir suscité sa curiosité, elle s'émut étrangement et son cœur battit à tout rompre.

Il l'avait observée, s'amusant de sa confusion, et ses yeux pétillants de malice l'avait irritée. Adoptant soudain une attitude de défi, elle s'était redressée pour l'interroger :

— Etes-vous venu acheter un tableau de mon père, monsieur Keralides ?

— Comment savez-vous mon nom ? avait-il répliqué, répétant la question qu'elle venait de lui poser.

Il débordait d'humour, et elle n'avait pas résisté. Entrant gaiement dans le jeu, elle avait répondu elle aussi :

— J'ai demandé.

Il l'avait soudain détaillée avec une plus grande attention, étudiant son jeune sourire innocent, puis sa chevelure qui paraissait presque argentée sous la lumière des projecteurs.

Et une force incontrôlable avait poussé Lauren à soutenir ce regard. Elle osait à peine respirer. Soudain, Andreas Keralides avait tendu la main vers elle. Ne comprenant pas ce qui lui arrivait, elle l'avait laissé ôter sa barrette et ses beaux cheveux étaient tombés autour de ses joues en feu.

— Vous vous coifferez toujours ainsi pour moi, avait-il murmuré tout doucement.

Jimmy avait appris l'indépendance à sa fille. Elle s'était immédiatement rebellée à ces paroles. Andreas Keralides s'imaginait-il qu'il faisait la loi ? Relevant son joli menton, elle avait rétorqué :

— Vous croyez ?

Une lueur arrogante était apparue dans les yeux de son interlocuteur.

— Oh oui ! avait-il chuchoté en s'approchant d'elle, la contemplant avec la satisfaction d'un collectionneur ayant découvert un objet rare.

— Et en quel honneur ?

Visiblement ravi de l'avoir mise en colère, il avait tranquillement répliqué :

— Parce que je pourrai promener mes doigts dans votre chevelure pendant que je vous embrasserai, évidemment.

— Oh ! avait-elle soufflé, ne pouvant dissimuler sa stupéfaction.

— Oui, oui, exactement.

— Et qu'est-ce qui vous fait penser que je vais vous permettre de m'embrasser ?

Elle s'était vite ressaisie, mais sa voix tremblait imperceptiblement, trahissant son trouble. Andreas Keralides l'avait naturellement perçu et il riait.

— Pourquoi me l'interdiriez-vous ? Ce sera un plaisir pour nous deux.

— Je ne me laisse pas embrasser par n'importe qui, monsieur Keralides ! avait-elle lancé avec raideur.

Il avait encore ri davantage.

— Je m'en doute, mais il s'agit d'un cas particulier.

— Ah vraiment ! s'était-elle exclamée sur un ton indigné. Parce que vous êtes millionnaire, je suppose ?

Il n'avait pas réagi immédiatement. Venant tout près d'elle, il avait ensuite parlé si doucement qu'elle n'était pas sûre d'avoir bien entendu.

— Parce que je vais vous épouser.

Encore aujourd'hui, Lauren se souvenait de son ahurissement. Les yeux écarquillés, elle avait fixé le visage fier à l'expression audacieuse. Elle n'avait bien sûr pas pris ces propos au sérieux, et pourtant...

La voiture s'arrêta devant l'hôpital et Lauren,

accompagnée de Lydia, traversa le hall, puis monta dans l'ascenseur.

Au seuil de la chambre, son ex-belle-mère se tourna vers elle d'un air gêné.

— L'alliance, Lauren.

La jeune femme la prit avec des doigts tremblants. Lydia lui ouvrit la porte et déclara :

— Je vous attends ici.

Lauren n'avait pas prévu d'affronter Andreas seule mais déjà, Lydia la poussait en avant. Il n'y avait pas d'infirmière auprès du lit cette fois. Le silence régnait dans la chambre où le store à moitié baissé créait une ambiance reposante.

La tête entourée de bandages ne bougea pas à son approche. Elle resta debout, immobile, observant l'homme qui avait été son mari. Les paupières fermées semblaient un peu gonflées. Les épais sourcils noirs contrastaient avec le teint crayeux des joues. La bouche était exsangue et Lauren se pencha, incapable de résister à la tentation, d'y déposer un baiser.

La main d'Andreas se souleva immédiatement du lit et caressa son cou.

— Lauren, murmura-t-il, *eros mou*. Où donc étais-tu ?

— Tu as bien meilleure mine, déclara-t-elle d'une voix mal assurée en essayant de se dégager sans brutalité, mais Andreas la retenait avec une force dont elle ne l'aurait pas cru capable.

— Embrasse-moi encore, commanda-t-il sur un ton vibrant. Je dormais, ce n'est pas juste. Je veux être éveillé quand tu m'embrasses.

Elle effleura de nouveau ses lèvres mais, lui immobilisant la nuque, Andreas lui rendit son baiser avec fougue.

Elle n'aurait jamais pensé qu'elle serait encore une fois envahie par une telle vague de désir. Elle en fut si choquée qu'elle s'arracha à lui et se redressa, haletant comme si elle venait de courir.

— Qu'y a-t-il ?

Il s'agita dans son lit et elle vit l'ombre de l'inquiétude passer dans ses yeux.

— Tu dois rester tranquille, affirma-t-elle. Il ne faut pas t'énerver.

— Je vais m'énerver si tu n'es pas gentille avec moi, fit-il, mi-rieur, mi-sérieux.

Elle reconnut son expression taquine et la manière dont il promenait ses yeux sur elle comme une caresse sensuelle.

— Faut-il garder ce store baissé ? Je te vois à peine. Approche.

Lauren tira une chaise contre le lit et s'assit. Allait-il découvrir qu'elle avait changé ? Il se souvenait d'une toute jeune femme de dix-neuf ans et elle en avait à présent vingt-quatre.

— Je ne peux rester longtemps, annonça-t-elle, pleine d'appréhension.

— Mais tu viens d'arriver !

Il paraissait fâché soudain.

— Que se passe-t-il, Lauren ? Pourquoi te montres-tu si distante ?

Elle rassembla tout son courage pour lui adresser un sourire.

— Je suis désolée de te sembler distante, mais je me suis fait tellement de souci.

Ces paroles parvinrent à le détendre.

— Bien sûr, ma pauvre chérie. Je suis navré de t'avoir causé du chagrin. Tu es bien jeune pour traverser une telle épreuve.

Il porta la main à son front et s'écria impatiemment :

— Comment est-ce arrivé ? Je ne me rappelle rien et personne ne me donne de détails. On me dit seulement que j'ai eu un accident de voiture.

Lauren le jugea faible, mais pas vraiment malade. Sa

vie n'était certainement plus en danger et, en dépit des lacunes de sa mémoire, son esprit fonctionnait apparemment très bien.

— Un camion s'est renversé devant toi et tu ne l'as pas vu assez tôt.

Il fronça les sourcils.

— Quand cela s'est-il passé ? Le dernier événement que je me rappelle est notre voyage à New York. Je nous vois encore revenir de l'aéroport d'Heathrow en voiture. Tu étais avec moi, mais ce n'est pas cette fois-là que j'ai eu l'accident, n'est-ce pas ?

— Non, fit Lauren, la gorge douloureusement serrée. Je n'étais pas avec toi le jour de l'accident.

Il la fixa d'un regard inquisiteur.

— Non, ma mère m'a dit que j'étais seul. Pourquoi t'a-t-il fallu si longtemps pour venir me voir ? Où étais-tu ? Avec Jimmy, je suppose, et ton cher ami Philip ?

Elle se releva et les pieds de la chaise crissèrent sur le sol immaculé.

— Il faut que tu dormes maintenant, Andreas. J'ai promis de ne rester que cinq minutes avec toi.

— Lauren !

Il l'attrapa par l'ourlet de sa jupe et la retint.

— Tu ne m'as pas répondu. Etais-tu avec Philip Colby ?

— Non, dit-elle, quelle idée ! Je rendais visite à Marie-Claire, à Paris.

Il remarqua l'expression peinée de son visage et, en ignorant la vraie raison, il murmura :

— Pardonne-moi, ma chérie.

— Il faut que je parte, insista-t-elle.

— Embrasse-moi encore une fois.

Elle ne pouvait pas refuser, mais ce geste lui coûtait beaucoup. Il glissa ses doigts dans sa chevelure, lui caressa tendrement la nuque, la força à entrouvrir les lèvres et l'embrassa avec une ardeur qui la laissa frémissante. Puis il se laissa retomber en arrière, épuisé.

De le voir ainsi l'émut irrésistiblement et elle s'entendit murmurer :

— Promets-moi de dormir à présent.

— Je te le promets, fit-il avec un demi-sourire et, avant qu'elle eût quitté la pièce, il avait déjà sombré dans le sommeil.

Lydia se trouvait dans l'antichambre avec un petit homme dont le complet luxueux et les manières assurées dénotaient l'importance. L'air affable, il tendit la main, à Lauren.

— Ah, madame Keralides, je suis enchanté de faire votre connaissance !

— Je suis Miss Grey, répliqua sèchement Lauren en jetant un coup d'œil interrogateur à Lydia.

Celle-ci expliqua :

— Voici monsieur Cardew, le spécialiste qui soigne Andreas.

— Etes-vous psychiatre ? s'enquit Lauren.

— En effet. Comment avez-vous trouvé votre mari ?

— Nous sommes divorcés.

— Ce n'est pas ce qu'il pense, rétorqua le médecin avec un sourire.

— Nous le sommes quand même.

— Légalement sans aucun doute, mais tant qu'il ne l'accepte pas, vous êtes liée à lui.

— C'est absurde ! s'écria Lauren.

— Vous êtes pourtant là, madame Keralides, cela prouve que vous vous sentez des obligations, soutint l'homme d'un air rusé.

— Je suis venue parce que sa mère m'a suppliée, affirma Lauren, se sentant soudain glacée.

— Ne cherchez pas de prétexte à votre conduite. Pour moi c'est clair, vous êtes là, j'en conclus que vous reconnaissez toujours vous aussi l'existence d'un lien entre M. Keralides et vous.

Lauren nia, les poings serrés.

Le petit homme se tourna en souriant vers Lydia.

— J'aimerais parler en tête à tête avec Mme Keralides si vous le permettez.

Il prit ensuite Lauren par le bras et l'entraîna vers son bureau.

— Je vous attends, ma chère Lauren, fit Lydia.

Lauren suivit machinalement le médecin dans un labyrinthe de couloirs blancs. Il lui offrit un fauteuil dans une vaste pièce aux murs verts.

— Votre mari ne se rappelle pas son accident, vous le savez ?

Elle hocha la tête.

— Vous a-t-il confié son dernier souvenir ?

— Oui, répondit-elle, les yeux brillants de larmes.

— Lequel est-ce ?

— Un voyage que nous avons fait à New York, raconta-t-elle en soupirant, sans comprendre où cet homme voulait en venir.

— Ce voyage avait-il une importance particulière ?

Elle se figea à cette question. Oh oui, il était marqué d'un bien sombre sceau. Après une brève hésitation, elle avoua :

— Le lendemain de notre retour, nous nous sommes violemment disputés. J'ai quitté mon mari pour retourner chez mon père et il...

La voix lui manqua.

Le petit homme se pencha en avant, les deux mains à plat sur son bureau et il l'encouragea :

— Et il ?

— Il m'a trompée, déclara-t-elle entre ses dents.

Elle n'avait passé qu'une seule nuit chez Jimmy. A l'aube, elle s'était rendu compte de l'absurdité de sa conduite et elle était retournée chez elle, contrite et débordante d'amour. Elle avait couru jusqu'à leur chambre, ouvert la porte et reçu le plus grand choc de sa vie.

A côté de la tête sombre d'Andreas, elle avait découvert celle de Martine. La jeune femme s'était soulevée sur ses coudes et elle avait éclaté d'un rire triomphant.

Sans un mot, Lauren était repartie. Plus tard dans la journée, se présentant chez Jimmy, Andreas n'avait pas pu la voir. Les éclats de voix étaient montés jusqu'à la pièce où se tenait Lauren. Andreas avait tenté de pénétrer de force dans la maison, mais Philip était arrivé sur ces entrefaites. De la violente querelle qui avait suivi, Lauren se souvenait avec horreur. A eux deux, Jimmy et Philip avaient réussi à refouler Andreas. Le lendemain, Lauren était partie en Ecosse, chez une tante. Refusant de lire les lettres d'Andreas, elle les avait toutes renvoyées sans les ouvrir. Elle avait entrepris de là-bas les démarches nécessaires au divorce. Il n'était prononcé que depuis une semaine quand Andreas avait épousé Martine. Trois mois plus tard naissait Niko, l'enfant qui ressemblait tant à Andreas, le fruit de son adultère.

— Et vous avez divorcé ?

A la question du médecin, Lauren sursauta.

— Oui, répliqua-t-elle sombrement.

L'homme se gratta le menton et un sourire apparut soudain sur son visage.

— Avez-vous revu M. Keralides depuis le jour où vous l'avez quitté ?

— Non.

— C'est bien ce que je pensais ! Madame Keralides…

— Ne m'appelez pas ainsi !

— Allons, ce n'est qu'un nom ! Chère madame, votre mari regrette amèrement ce divorce et pour le moment, il n'est pas assez résistant pour le supporter. Il l'a donc oublié, ainsi que la vie qu'il a menée ensuite. La mémoire lui reviendra probablement avec ses forces.

— Et en attendant ? questionna Lauren, écrasée par la logique de ce raisonnement. Je ne peux pas continuer à jouer la comédie. Je suis fiancée à un autre homme.

Le médecin hocha la tête d'un air songeur.

— Je comprends, madame Keralides, mais j'insiste pour que vous ne lui révéliez pas la vérité sans mon autorisation. Le choc pourrait lui être fatal.

Se mordillant les lèvres, Lauren baissa la tête et fixa la pointe de ses chaussures.

— Il n'en mourrait pas, j'en suis sûre. Je l'ai trouvé en bien meilleur état aujourd'hui.

— Un choc peut tuer un être en parfaite santé, croyez-moi. Lorsqu'il s'agit d'un homme grièvement blessé comme votre mari, le danger est encore plus grand.

Lauren ferma les yeux.

— Mon Dieu, murmura-t-elle, je ne sais pas si je pourrai tenir mon rôle encore longtemps !

3

L'automne céda peu à peu la place à l'hiver qui, avant de déployer ses rigueurs, se signala par des brouillards matinaux, de courtes averses et de brusques chutes de température. Mais le temps restait en général assez beau et les Londoniens profitèrent de ce répit inespéré avant l'arrivée des mois de froid et de grisaille.

Tout en se reprochant de commettre une folie, Lauren continua à rendre visite à Andreas. Elle passait chaque jour une heure avec lui, lui lisant le journal et lui dispensant quelques gestes d'affection. Il adoptait envers elle une conduite gentiment taquine, comme au début de leur mariage. La tendresse dont il faisait preuve lui causait une douleur déchirante.

Réfléchissant, un après-midi en sortant de l'hôpital, elle s'étonna. Dans les semaines qui avaient précédé leur voyage à New York, il s'était comporté d'une manière fort désagréable. Normalement, puisque sa mémoire le ramenait à cette époque, il aurait dû aussi retrouver sa mauvaise humeur d'alors. Pourquoi redevenait-il l'homme amoureux, à la fois passionné et doux, des premiers temps ?

Ah, comme les débuts de leur mariage avaient été merveilleux ! Conscient de l'innocence de sa jeune femme, Andreas l'avait traitée avec une délicatesse exquise tout en l'entraînant dans le tourbillon de son

Vivez de vives émotions!…avec la toute nouvelle collection **HARLEQUIN SEDUCTION**

VOUS RECEVREZ GRATUITEMENT
un des romans de cette nouvelle et excitante collection, "Aux Jardins de l'Alkabir".

"Lorsque les lèvres de Raphaël se posèrent sur les siennes, Liona se sentit trahie par les réactions fougueuses de son corps qui venaient démentir ses protestations désespérées."

Partagez les vives émotions et les plaisirs voluptueux que connaîtra Liona, dès son arrivée aux Jardins de l'Alkabir, en Espagne. Savourez les péripéties tumultueuses de cette jeune Américaine à l'âme jusqu'ici innocente, déchirée entre l'amour de deux frères, de célèbres et fougueux matadors. Laissez-vous prendre vous aussi aux pièges de ce sentiment nouveau chez elle: le désir.

"Aux Jardins de l'Alkabir", le début de l'aventure amoureuse que vous vivrez en vous abonnant à la nouvelle collection **HARLEQUIN SEDUCTION**

DES ROMANS EXCITANTS: plus épais, plus savoureux les uns que les autres, remplis d'intrigues et de folles passions sensuelles, des romans complètement inédits.

UN NOUVEAU STYLE DE BEST-SELLER qui vient merveilleusement compléter les autres collections Harlequin et qui vous fera vivre des moments de lecture encore plus exaltants.

Abonnez-vous dès aujourd'hui à la collection **HARLEQUIN SEDUCTION** et évitez ainsi d'attendre l'arrivée de ces nouveaux livres en librairie. Vous les recevrez directement à domicile, deux mois avant leur parution, à raison de deux (2) romans par mois, au prix avantageux de 3,25$ chacun.

PLUS DE 300 PAGES D'AVENTURES ENFLAMMÉES.

Une valeur incontestable si vous pensez aux heures de lecture agréable que chacun de ces romans vous procurera.

Si toutefois vous changez d'idée au cours de votre abonnement, vous pouvez l'annuler en tout temps.

Postez dès maintenant le coupon-réponse ci-dessous et vous recevrez aussitôt votre roman GRATUIT "Aux Jardins de l'Alkabir". Aucun timbre n'est nécessaire.

Détacher et retourner à:

Service des livres Harlequin, Stratford (Ontario)

UN ROMAN GRATUIT.

Oui, envoyez-moi **GRATUITEMENT** et sans obligation de ma part mon roman de la collection **HARLEQUIN SEDUCTION**

- Si, après l'avoir lu, je ne désire pas en recevoir d'autres, il me suffira de vous en faire part et je ne recevrai aucun autre volume. Je garderai néanmoins mon livre gratuit.

- Si ce premier volume me plaît, je n'aurai rien à faire et je recevrai ensuite chaque mois les deux (2) nouveaux titres d'Harlequin Séduction au prix de 3,25$ seulement le livre. Aucun frais de port, ni de manutention, soit un total de 6,50$ par mois.

- Il est entendu que je suis libre d'annuler à n'importe quel moment en vous prévenant par simple lettre, et que le premier roman est à moi **GRATUITEMENT** et sans aucune obligation.

CIS10

Nom	(EN MAJUSCULES s.v.p.)	

Adresse		Appt

Ville	Province	

Code postal

Signature (Si vous n'avez pas 18 ans, la signature d'un parent ou gardien est nécessaire)

Cette offre n'est pas valable pour les personnes déjà abonnées. Prix sujet à changement sans préavis. Offre valable jusqu'au 31 août 1983. Nous nous réservons le droit de limiter les envois gratuits à 1 par foyer.

Imprimé au Canada.

GRATUIT

L'excitant roman "Aux Jardins de l'Alkabir".
Serait-ce le soleil ardent de l'Espagne, l'excitation
de l'arène, le magnétisme bouleversant de Raphaël,
le frère de son fiancé, lui aussi matador, qui
déclenchera chez Liona, jeune Américaine, des
instincts de passion qu'elle n'aurait jamais crû
posséder.

HARLEQUIN SEDUCTION

Correspondance-réponse
d'affaires
Se poste sans timbre au Canada
Le port sera payé par

Service des Livres

Harlequin

Stratford (Ontario)
N5A 9Z9

Canada Post

021

Postes Canada

propre désir. Seule l'hostilité de son père avait empêché Lauren de se sentir parfaitement heureuse. Giorgios ne s'était jamais caché de souhaiter voir Andreas épouser sa cousine Martine, une jolie Grecque aux yeux sombres.

Martine avait toujours affecté d'ignorer Lauren, lui signifiant de cette façon sa haine et sa jalousie. En présence d'Andreas, elle se montrait charmante et coquette, souriant, battant des paupières, et l'indulgence de celui-ci à son égard avait toujours irrité Lauren. Elle s'était raisonnée : si Andreas avait aimé Martine, il l'aurait épousée. Mais la raison ne lui avait pas été d'un grand secours.

Lorsque Lauren ne pouvait plus supporter les tensions imposées par la famille Keralides, elle se réfugiait pour quelques heures chez son père. Elle avait abandonné ses études artistiques pour faire plaisir à Andreas, mais les doigts lui démangeaient parfois de peindre.

Jimmy l'avait encouragée, mettant à sa disposition un coin de son propre atelier, et Philip, suivant ses progrès, avait crié au scandale. Pour lui, Lauren commettait un crime en sacrifiant son talent à son mari.

L'amitié qui liait Philip à Lauren contrariait vivement Andreas. Les Grecs n'autorisaient pas les femmes mariées à avoir des relations masculines. Il avait d'ailleurs très vite soupçonné que Philip nourrissait pour Lauren des sentiments beaucoup plus passionnés et coupables.

Un jour où il était venu chercher Lauren chez Jimmy, il en avait acquis la preuve. Philip se trouvait là aussi et il avait regardé Andreas embrasser sa femme sans pouvoir contrôler son expression. La douleur, la jalousie et la haine s'étaient peintes sur son visage.

Quelques minutes plus tard, dans la voiture, Andreas avait lancé à Lauren :

— Alors, cette fois tu as vu ! N'essaye plus de le nier, cet homme est fou de toi !

Elle n'avait su que répondre. La révélation de l'amour que lui portait Philip l'embarrassait. Pendant des années, elle l'avait considéré comme un grand frère ou un jeune oncle. Cette découverte la dérangeait.

— Je ne veux plus que tu restes seule avec lui, plus jamais ! s'était exclamé Andreas.

Elle avait protesté :

— Comment pourrais-je l'éviter ? Il vient souvent chez mon père, ils sont d'excellents amis.

— Dans ce cas, ne retourne plus chez ton père. Je regrette de te paraître si dur, mais Jimmy pourra toujours te rendre visite chez nous.

— Chez nous ! J'ai du mal à l'imaginer !

Furieuse, elle avait presque crié.

— Que veux-tu dire ?

— Nous vivons chez ton père, toujours entourés de tes frères et de ta sœur. Ils ne m'ont jamais acceptée. Je suis l'intruse, l'ennemie. Pourquoi crois-tu que je me réfugie si souvent auprès de Jimmy ? Parce que j'étouffe, parce que j'ai besoin d'échapper à cette atmosphère de haine et d'hostilité.

Ces paroles avaient marqué le début d'une violente discussion. Pour finir, Andreas s'était offert le luxe d'abandonner brutalement Lauren comme une enfant capricieuse. Les sourcils froncés, l'air offusqué, il avait refusé de la comprendre.

Les beaux jours appartenaient au passé. Cette querelle entérinait une situation qui s'était dégradée progressivement à cause de la malveillance des Keralides et de l'inexpérience de Lauren.

Dernière tentative pour ramener la paix entre eux, voyage à New York suggéré par Andreas avait accepté avec empressement par Lauren. De nouv heureux là-bas, ils avaient retrouvé leurs problème revenant à Londres. Martine fêtait son anniversai la nuit de leur retour. Fatiguée par le voyage, Lauren alla se coucher tandis qu'Andreas assistait à la réception. La jeune femme dormit un peu, puis la musique la réveilla. Du palier de l'étage, par simple curiosité, elle avait voulu jeter un coup d'œil sur la fête qui se déroulait au rez-de-chaussée. Le grand miroir du hall, reflétant une partie du salon, lui avait montré Martine, féline et sensuelle, dansant étroitement serrée contre Andreas... Elle s'était retournée et retournée dans son lit sans pouvoir retrouver le sommeil. La jalousie la torturait. A quatre heures, l'épuisement eut raison d'elle et elle s'assoupit. Andreas n'était pas encore monté et pourtant le silence régnait dans la maison, indiquant le départ de tous les invités.

Cette affaire avait évidemment provoqué une nouvelle querelle. Giorgios Keralides s'en était mêlé, n'épargnant pas son insolent mépris à Lauren :

— Si vous êtes jalouse de Martine, c'est bien fait. Vous savez très bien qu'Andreas aurait dû l'épouser au lieu de s'encombrer d'un joli petit objet inutile comme vous !

Muré dans un amer silence, Andreas avait assisté à la scène. Devant lui, Lauren avait retiré son alliance pour la lancer au visage de son beau-père.

Puis elle s'était enfuie chez Jimmy, persuadée qu'Andreas s'était finalement rangé à l'avis de Giorgios. Il regrettait son mariage. Durant une longue nuit d'insomnie, des sentiments contradictoires l'avaient déchirée. Au matin, elle avait décidé de retourner chez les Keralides et de reconquérir l'amour de son mari à n'importe quel prix.

Le spectacle qu'elle avait alors découvert dans sa chambre l'avait hantée ensuite pendant des mois. Andreas endormi, et auprès de lui, Martine qui souriait d'un air triomphant.

Encore maintenant, cette image traversait l'esprit de

Lauren comme un coup de couteau. Jamais elle ne l'oublierait.

Naturellement, Andreas avait connu d'autres femmes avant elle. Toutefois, dans sa naïveté, elle s'était imaginée que depuis leur mariage, il lui avait été fidèle. Quelle folie ! Quelle stupide crédulité !

A y repenser, Lauren frémissait encore aujourd'hui de fureur contre elle-même. Quand allait-elle se décider à informer Philip de ses visites à Andreas ? Elle hésitait. Elle prévoyait sa colère. Il allait lui interdire de retourner à l'hôpital, or elle ne le voulait pas.

Son travail n'avançait guère ces derniers temps. L'inspiration la boudait et elle devait se forcer pour prendre son pinceau. Les résultats s'avéraient d'ailleurs très médiocres.

Philip arriva alors qu'elle bâillait devant une toile inachevée. Il l'examina et fronça les sourcils.

— Que se passe-t-il ?

Il désigna le tableau avec une grimace.

— Ma chère, je ne vous ai jamais vue faire tant de retouches... et pour n'aboutir à rien !

Philip était expert en matière de peinture, il était inutile de tenter de le tromper.

— Il est temps que je vous apprenne une nouvelle, annonça Lauren d'une voix hésitante, et il se raidit aussitôt. Asseyez-vous, Philip.

— Aurai-je aussi besoin d'une boisson ? demanda-t-il en essayant de plaisanter.

— En voulez-vous une ?

— C'est peut-être préférable.

Elle lui servit un whisky et il joua avec son verre, contemplant le liquide ambré.

— Je vous écoute.

Lauren débita son histoire d'un trait et le visage de Philip se figeait à vue d'œil au fur et à mesure qu'elle parlait.

44

— Avez-vous perdu la tête ? s'écria-t-il finalement, la jalousie flamboyant dans ses yeux.

Jamais encore il ne s'était emporté devant Lauren et elle eut peur.

— Vous lui rendez visite depuis des semaines et vous ne m'en avez pas parlé ! Mais c'est comme si vous m'aviez menti ! C'est très malhonnête !

— Je ne pensais pas que la situation se prolongerait, murmura piteusement Lauren en guise d'excuse.

— Vous me décevez, je ne vous aurais jamais crue capable d'un tel comportement, fit Philip, tout bas, comme si le souffle lui manquait.

— La première fois, on m'a dit qu'il était mourant, je ne pouvais pas refuser ! Et puis le médecin m'a mise en garde contre le choc fatal qu'il risquait de recevoir si on lui révélait la vérité trop tôt. Que pouvais-je faire, sinon continuer à me prêter à cette comédie ?

— Vous auriez pu me mettre au courant, rétorqua sèchement Philip. J'aurais pris l'affaire en main.

Il la fixait d'un air furieux.

— Mais vous ne le souhaitiez pas, n'est-ce pas Lauren ? Vous vouliez continuer à voir ce maudit Grec ! Vous ne l'avez jamais oublié, j'en suis certain à présent. Dès qu'il siffle, vous accourez, et vous tolérez qu'il recommence à vous traiter comme par le passé !

— Mais il a été très malade !

Philip éclata d'un rire terrriblement ironique.

— Beau prétexte !

— C'est vrai, Philip ! Il a failli mourir ! Vous ne l'avez pas vu le premier jour.

Défiguré par la colère, il lança :

— Même à l'agonie, il a réussi à faire comprendre ce qu'il désirait ! Il vous a amenée jusqu'à son lit !

— Je ne pouvais pas refuser, voyons !

Philip prit Lauren aux épaules et plongea son regard dans ses grands yeux verts.

— Vous aviez envie d'y aller, avouez-le !

Lauren aussi avait perdu son calme au fil de cette conversation orageuse et elle explosa pour de bon, répliquant rageusement à cette attaque :

— Eh bien oui, j'avais envie de le voir ! Je l'aime encore !

Un silence effrayant s'abattit sur ces paroles et, soudain consciente de la gravité de son aveu, Lauren tressaillit douloureusement, puis elle considéra Philip avec tristesse.

— Je suis désolée. Je ne peux pas m'en empêcher. Je ne le voudrais pas, mais je l'aime, passionnément... Je suis folle de lui.

Retrouvant vite ses esprits, il répondit sur un ton mesuré :

— Oui, je le sais, je l'ai toujours su, je crois. C'était évident dès l'instant où il est arrivé à l'exposition de Jimmy. D'un regard, il vous a ensorcelée. J'ai eu la bêtise d'imaginer quelque temps que c'était fini.

Lauren baissa la tête. Le regret et l'amertume l'accablaient. Elle se décida tout à coup à ôter sa bague et elle la tendit à Philip.

Celui-ci poussa un soupir navré.

— Ecoutez, je me suis emporté, Lauren. Voulez-vous m'écouter tranquillement maintenant ?

Elle leva vers lui un visage qui exprimait l'hésitation et déclara :

— Naturellement. Mon amour pour Andreas ne change rien à l'affection que j'ai toujours éprouvée pour vous.

Il esquissa un sourire forcé. Ces propos le blessaient plus qu'ils ne le flattaient.

— Ne me rendez pas encore cette bague, proposa-t-il. Gardez-la pour le moment, et ne dites à personne que nos fiançailles sont rompues.

— Pourquoi ? fit-elle, stupéfaite.

— Pour votre propre sécurité, expliqua-t-il, très maître de lui. Je me méfie de Keralides. Je ne crois pas à son amnésie, c'est trop bizarre. Cet homme est rusé comme un renard.

— Oh Philip, si vous l'aviez vu, vous ne parleriez pas ainsi !

— Je suis certain qu'il a été grièvement atteint dans cet accident de voiture, mais on ne peut pas constater une perte de mémoire avec la même certitude qu'une jambre cassée. Il trompe peut-être tout le monde.

— Mais pourquoi ? questionna impatiemment Lauren, d'autant plus agacée que cette pensée lui avait déjà traversé l'esprit.

Elle ne pouvait tout de même pas croire Andreas capable de mystifier ainsi médecins et famille.

Philip haussa les épaules avec impuissance.

— Si c'est une ruse, elle a réussi puisque vous êtes allée le voir.

Rougissant malgré elle, Lauren tenta de discuter :

— S'il avait voulu reprendre contact avec moi, il aurait essayé plus tôt et par d'autres moyens. Sa femme est morte depuis deux ans et il n'a jamais cherché à me rencontrer. Alors pourquoi y songerait-il maintenant ?

— Dieu seul le sait, et cet homme tortueux, imprévisible qui a été votre mari.

Philip esquissa soudain une moue de dégoût.

— Lauren, vous avez lu les journaux comme moi. Vous savez combien de femmes il a fréquentées durant ces deux dernières années. Ses liaisons sont célèbres. Est-ce un homme comme lui que vous aimez ? Un homme auquel vous ne pouvez pas accorder votre confiance ?

Tremblante, abattue, les mains convulsivement nouées, Lauren murmura :

— Non, bien sûr que non.

— Alors ? s'écria Philip.

— En ce moment, il a besoin de moi.

Comme son interlocuteur se raidissait ostensiblement, elle affirma avec force :

— Oui, il a besoin de moi et je ne peux pas l'abandonner. J'ai essayé, mais c'est impossible. Je reconnais ma faiblesse et ma stupidité. Tant pis pour moi !

— Très bien, je me résigne, déclara-t-il après un silence, mais portez au moins ma bague pour vous protéger. Ne retombez pas trop vite entre les mains des Keralides. Soyez prudente cette fois, n'allez pas au-devant de nouvelles trahisons et de nouvelles souffrances.

Philip parlait le langage de la raison, Lauren le savait très bien, et elle remit la bague.

— Vous êtes merveilleux, Philip. Je donnerais tout pour vous aimer autant que vous m'aimez.

— Je regrette que Keralides ne soit pas mort dans cet accident, marmonna-t-il sombrement.

— Ne dites pas une chose pareille !

— Si, pourquoi pas ? fit-il, regardant fixement un point invisible devant lui. Si vous n'aviez pas rencontré cet homme, nous serions mariés depuis des années... j'en suis certain. Lors de votre divorce, j'étais sûr que vous finiriez par vous tourner vers moi tôt ou tard, et vous l'avez fait, Lauren. Aussi sûr que je suis là, vous me reviendrez encore. Un jour, vous fuirez de nouveau Keralides. Je vous attendrai, Lauren, aussi longtemps qu'il le faudra.

Sur ces mots, il la quitta, n'ajoutant même pas un au revoir. Elle resta clouée sur place, troublée, décontenancée, obligée de voir en face la folie de sa conduite.

A sa visite suivante, Andreas ne portait plus de bandages autour de la tête. Elle rit en découvrant ses boucles noires qui avaient poussé.

— Tu as l'air d'un bébé, s'exclama-t-elle.

— J'ai honte ! maugréa-t-il.

Il était assis dans son lit, soutenu par des oreillers. Sa terrible pâleur du début n'était plus qu'un mauvais souvenir mais, après des semaines d'hôpital, il avait perdu son beau teint doré habituel. Il avait maigri, et ses traits plus aiguisés n'en possédaient que davantage de relief.

— J'ai une bonne nouvelle, annonça-t-il. Je peux quitter l'hôpital à condition d'engager une infirmière privée.

Lauren ne put cacher sa surprise et il remarqua son trouble.

— Qu'y a-t-il, Lauren ? N'es-tu pas heureuse que je rentre à la maison ?

Cette fois, songea la jeune femme, le moment de lui apprendre la vérité approchait. Mais elle ne s'y décida pas encore ce jour-là. Pourtant, si Andreas était assez rétabli pour quitter l'hôpital, il pouvait sûrement aussi supporter le choc. Et malgré tout, Lauren ne dit rien.

— Mais si, je suis ravie que tu reviennes, assurat-elle au contraire, forçant son sourire. Tu dois commencer à t'ennuyer ici.

— Terriblement, confirma-t-il.

Il avait accepté sans faire de difficultés les mensonges de Lydia concernant son père. Giorgios, lui avait-elle raconté, s'était rendu à son chevet pendant les jours suivant l'accident. Puis il avait dû s'envoler pour les Etats-Unis. Les affaires passant avant tout, Andreas avait volontiers cru cette histoire. Quant à Martine, il ne s'était pas inquiété d'elle, pas en présence de Lauren du moins. Et s'il avait parlé d'elle avec Lydia, celle-ci se gardait bien de le mentionner. Lauren s'étonnait tout de même de la facilité avec laquelle Andreas écartait tous les événements qui ne cadraient pas avec sa première année de mariage. Le médecin expliquait cette attitude par une volonté subconsciente. Avait-il raison ?

Tenant les mains de Lauren entre les siennes, jouant avec ses doigts, Andreas déclara soudain :

— Nous pourrions aller en Grèce, qu'en penses-tu ?

Lauren sursauta et répéta pour gagner du temps :

— En Grèce ?

— Oui, il fait si froid à Londres en ce moment. J'ai envie de revoir le ciel de mon pays. Il suffit d'avertir et on nous préparera la villa en un clin d'œil. Il ne nous restera plus qu'à prendre l'avion.

Le cœur battant, la gorge sèche, Lauren essaya de réfléchir vite. Elle ne pouvait plus retarder le moment de lui parler. Il était hors de question pour elle de partir en Grèce avec Andreas.

— Tu ne dis rien, fit-il, un peu inquiet.

— Le voyage risque de te fatiguer, c'est trop pour un début, murmura-t-elle sans grande assurance.

— Pas du tout ! répliqua-t-il, retrouvant sa puissante volonté.

Il la considéra et éclata de rire, la traitant avec cette ironie moqueuse qui l'avait toujours fait frémir.

— Je crois que tu as peur, Lauren, parce que nous avons été séparés longtemps.

Elle le dévisagea, cherchant à comprendre.

— Penses-tu qu'à cause de mon accident, j'ai oublié que tu es une femme mariée, *ma* femme, glissa-t-il sur un ton d'intime complicité. Tu vas bientôt me retrouver, ma chérie. Je me réjouis de te réapprendre que tu m'appartiens.

Effrayée, elle tenta de lui retirer sa main, mais il la retint et pencha sa tête noire pour déposer un baiser au creux de sa paume et remonter jusqu'au pouls qui palpitait follement.

Le souffle coupé, Lauren le contemplait, l'aimant et le haïssant à la fois, fixant sur lui ses grands yeux verts brouillés par l'émotion. Quand il releva la tête, elle baissa prestement les paupières afin de lui cacher la confusion dans laquelle il la plongeait.

Les docteurs lui interdiraient sûrement de partir à l'étranger. Elle se raccrocha à cette pensée. Andreas devait ménager ses forces et il avait encore besoin d'une surveillance médicale sérieuse.

— Nous irons en Grèce plus tard, suggéra-t-elle courageusement. Il est trop tôt encore.

— Je me rétablirai plus vite dans la maison de mon enfance, insista-t-il, le visage figé en un masque d'obstination.

— Il faut que je parte, lança Lauren en se dégageant par surprise.

Elle courut jusqu'à la porte. Andreas la suivit de ses yeux noirs où brillait le mécontentement.

— Reviens, Lauren !

Elle feignit de ne pas entendre et s'échappa, tremblante de la tête aux pieds.

Elle se rendit tout droit chez Lydia. Située dans un quartier élégant, la demeure des Keralides était entourée d'une terrasse en marbre blanc et, grâce à un entretien parfait, elle avait allègrement franchi le cap d'un siècle d'âge.

Un domestique accueillit Lauren. Employé depuis très longtemps dans cette maison, il la reconnut mais resta absolument impassible. S'inclinant devant elle, il l'introduisit dans le boudoir de Lydia en annonçant :

— Miss Grey, Madame.

Lydia se leva pour embrasser Lauren.

— Comme je suis heureuse de vous revoir dans ces lieux ! s'écria-t-elle.

Lauren coupa vite court à ces effusions et lança :

— Savez-vous qu'Andreas va sortir de l'hôpital ?

— Oui, fit-elle. Voulez-vous du café ?

Elle sonna et le domestique réapparut.

— Asseyez-vous donc.

— Ecoutez-moi ! supplia Lauren. Il veut aller en Grèce !

— Quelle excellente idée ! Je suis sûre qu'il se rétablira plus vite là-bas.

— Mais enfin, vous ne comprenez pas ! s'écria la jeune femme. Il est temps de lui dire la vérité.

— Pourquoi ? s'enquit Lydia, feignant la surprise.

— Vous le savez très bien ! Je ne suis plus son épouse et je ne peux pas continuer cette comédie !

— Bien sûr, il faudra lui parler un jour ou l'autre, admit Lydia à regret. Mais pas encore, pas encore !

Livide, Lauren considérait fixement son interlocutrice.

— Ne voyez-vous pas que je n'en peux plus ? Je suis à bout !

— Mais vous vous êtes merveilleusement débrouillée jusqu'à présent. N'estimez-vous pas qu'il est préférable de le laisser retrouver la mémoire de lui-même ? Il va mieux, encore un peu de patience.

Le visage de Lydia s'assombrit.

— Ce n'est pas facile pour moi non plus de lui faire croire que Giorgios vit encore. J'aimais mon mari et je souffre, mais j'aime aussi mon fils et je ne veux pas le bouleverser tant qu'il est si faible.

— Mais je ne peux partir en Grèce ! s'écria Lauren. C'est impossible ! Je ne suis plus sa femme, je ne veux plus habiter sous le même toit que lui.

Lydia lui sourit avec une imperceptible malice.

— Allons, ma chère, quel mal y a-t-il à demeurer dans la même maison que lui ? Vous savez bien qu'Andreas n'est pas en état de vous demander de partager son lit !

— Et s'il le demandait ? questionna Lauren.

— Soyez réaliste ! répliqua Lydia en riant. Le jour où il aura de telles idées, il retrouvera aussi la mémoire.

Lauren poussa un soupir. Lydia avait réussi à apaiser un peu ses craintes.

— Vous aussi, vous avez besoin de vous reposer, affirma-t-elle avec compassion. Je vous trouve bien fatiguée. Vous avez traversé l'épreuve avec nous, j'en suis consciente et je vous remercie.

Lauren se défendit plus faiblement qu'auparavant :

— Je ne peux pas partir avec lui.

— Votre fiancé s'y opposera-t-il ?

La jeune femme rougit et le domestique arriva juste à ce moment-là avec le café. Lydia eut le bon goût de ne pas insister.

Sachant à peine ce qu'elle buvait, Lauren demanda :

— Que s'imaginera Andreas quand il retrouvera la mémoire. Il va croire que...

Elle répugna à livrer la pensée qui la faisait intérieurement bouillonner de rage. Andreas risquait de penser qu'elle s'était empressée de saisir l'occasion de redevenir sa femme pour quelques jours.

Comme si elle avait deviné, Lydia suggéra :

— Je pourrai lui dire que je vous ai suppliée de vous rendre à son chevet.

— Vous croira-t-il ? s'enquit Lauren, crispée, les joues en feu.

— Mais c'est bien pour moi que vous l'avez fait, n'est-ce pas ? s'enquit Lydia en l'observant attentivement.

— Au début, répondit Lauren, furieuse.

— Et ensuite ?

Un espoir éclaira soudain les traits soucieux de Lydia.

Lauren reposa sa tasse et enfouit son visage entre ses mains tremblantes. Puis, n'y tenant plus, elle se leva et se posta à une fenêtre, tournant le dos à son interlocutrice.

— Vous semblez oublier que j'ai des raisons de le haïr. Nous n'avons pas divorcé à l'amiable. Vous savez pourquoi je suis partie.

— Lauren, je vous en prie !

Elle était trop lancée pour s'arrêter à présent. Blême et amère, elle se souvint :

— C'est arrivé ici-même. Je les ai trouvés couchés ensemble.

Lydia pâlit à son tour et balbutia :

— Je... je suis navrée de...

— Navrée ! Pouvez-vous imaginer ce que j'ai

éprouvé ? gémit-elle, revivant de nouveau en cet instant sa révolte et sa douleur.

— Vous n'avez jamais permis à Andréas de s'expliquer, glissa Lydia d'une voix fêlée.

— S'expliquer ! C'était inutile, j'avais vu, de mes propres yeux, et l'image m'a poursuivie ensuite nuit et jour. Toute explication était inutile.

— Les choses ne sont pas toujours aussi évidentes qu'elles le paraissent, insista Lydia, désolée, le regard empreint d'une profonde tristesse.

— Dans ce cas, il n'y avait pas le moindre doute, et je ne vous écouterai pas défendre Andreas. Vos belles paroles ne pourraient pas supprimer Niko. D'ailleurs vous ne le voudriez pas. Vous l'aimez, j'en suis certaine. C'est un gentil petit garçon, je l'ai constaté moi-même, mais chaque fois que j'entends son nom, je me rappelle qu'Andreas est son père et qu'il a été conçu dans ma chambre !

Sur ces mots, elle se dirigea vers la porte et quitta la pièce, abandonnant brutalement Lydia qui fondit en larmes.

4

— A mon avis, c'est de la comédie, affirma Jimmy sans l'ombre d'une hésitation. Je suis sûr qu'il simule son amnésie. Enfin, Lauren, tu ne vas tout de même pas partir en Grèce avec lui ! Il t'a fallu des années pour te remettre du choc qu'il t'a fait subir. Tu dois être folle pour songer à retomber dans le piège une seconde fois.

Lauren joignit les mains en un geste d'impuissance.

— Je ne pensais pas que l'affaire irait aussi loin. Au début, Lydia m'a presque tirée à son chevet parce qu'il était mourant.

Jimmy soupira impatiemment et passa les doigts dans sa chevelure.

— En tout cas, il n'est plus à l'agonie à présent. S'il est assez rétabli pour partir en Grèce, il peut aussi supporter la vérité.

C'était une évidence. Baissant la tête, Lauren murmura pourtant :

— Lydia souhaite qu'il retrouve la mémoire de lui-même.

Jimmy esquissa un sourire plein d'ironie.

— Elle a tout le temps elle, évidemment. A-t-elle l'intention de continuer à lui cacher les journaux, à ne pas le tenir au courant de ses affaires ?

Lauren ouvrit de grands yeux.

— Mais je lui lis le journal chaque jour quand je lui rends visite !

— Voilà ce que je voulais t'entendre dire, fit son père avec un sourire sardonique. Et il ne s'est jamais étonné de ce que tu lui lisais ? Il n'a pas posé de questions ? Le monde a cependant bien changé en cinq ans.

Lauren dut s'asseoir, ses jambes ne la portaient plus.

— Je n'y avais pas pensé.

— Un seul coup d'œil à la date sur le journal suffirait à le renseigner. Et puis, ne te rends-tu pas compte combien tu t'es transformée toi-même, ma chérie ? Tu es devenue une vraie femme. Ta coiffure, ton maquillage, ton habillement, tout est différent. Il aurait dû être surpris et il n'a néanmoins pas fait une seule remarque. Ne trouves-tu pas cela suspect ?

Intelligent, astucieux, Jimmy savait toujours aller au cœur d'un problème. Il repérait infailliblement les erreurs et les illogismes. Aveuglée par ses émotions, Lauren n'avait pas déployé la même perspicacité pour analyser la situation. Et pourtant, il n'y avait pas de doute. Depuis six semaines qu'elle revoyait son ex-mari, un indice aurait dû à un moment ou à un autre le mettre sur la voie de sa perte de mémoire.

L'air soucieux, elle demanda à son père :

— Pourquoi jouerait-il une telle comédie ?

— Pourquoi ?

Jimmy pinça les lèvres.

— Tu le sais aussi bien que moi, Lauren. Il veut te reprendre.

Elle s'empourpra violemment et murmura :

— Crois-tu qu'il m'aime encore ?

— Aimer n'est pas le mot que j'emploierais, répliqua-t-il avec aigreur. Il te veut. C'est un homme très possessif. J'ai été étonné qu'il te laisse si facilement partir. Le jour où il est venu te chercher, il avait l'air d'un fou. Nous avons dû nous y mettre à deux, Philip et moi, pour le renvoyer, et je me souviendrai toujours de la façon dont il a déclaré : « Elle m'appartient. » J'en ai encore le frisson. Je ne supporte pas ces maris qui considèrent leurs épouses comme leur propriété.

— Que vais-je faire ? lança Lauren, profondément malheureuse et déroutée.

Après la mort de sa mère, elle avait été élevée par son père et elle se sentait depuis toujours très proche de lui. Elle avait hérité son talent et sa passion pour la beauté. Comme lui, elle savait la discerner dans des objets ou des spectacles en apparence médiocres. Elle considérait le monde autour d'elle avec une attention bienveillante qui l'avait aidée à adopter une philosophie de la vie souple et généreuse. Il lui avait fallu très longtemps pour découvrir que les nombreux modèles qui se succédaient dans l'atelier de son père n'entretenaient pas seulement avec lui des relations de travail. Quand elle avait compris le goût de Jimmy pour les belles femmes, elle était assez âgée pour l'admettre sans éprouver de mépris à son égard. Dernièrement encore, elle avait réservé un bon accueil à Emma, une rousse souriante et gracieuse qui était revenue d'Espagne avec lui.

Toutefois, les liaisons éphémères de son père lui avaient toujours laissé un sentiment de vide. Par réaction sans doute, elle avait voulu Andreas pour elle seule dès le début de leur mariage. Il lui avait semblé que la famille Keralides le lui volait à chaque instant et ce sentiment avait déclenché de nombreuses querelles.

— Tu dois faire ce que tu veux, lui répondit finalement son père. Mais tu sais qu'Andreas joue la comédie. Tu sais aussi qu'en continuant à le voir, tu cours de nouveau à ta perte.

Après le départ de Jimmy, Lauren réfléchit longuement. Andreas trompait-il vraiment sa famille et les médecins ? Il était bien capable d'avoir monté cette mise en scène…Il pouvait espérer par exemple réussir, après un certain nombre de visites, à vaincre la rancune que Lauren nourrissait contre lui. Cette rancune diminuait d'ailleurs, constata soudain la jeune femme avec stupéfaction. Un flot de colère déferla en elle. Non, elle ne devait jamais faiblir au point de pardonner à Andreas sa conduite !

Il jouait la comédie. Il était fourbe, menteur et dangereux.

Elle se répéta ces mots une centaine de fois. Elle ne retournerait plus le voir, elle allait informer Lydia de sa décision de mettre un terme à cette situation.

Et pourtant, tout en se reprochant à chaque pas son manque de volonté, elle reprit encore une fois le chemin de l'hôpital. Dans l'antichambre, elle s'arrêta et hésita. Elle venait d'ordinaire beaucoup plus tôt. Elle pouvait encore faire demi-tour.

Tandis qu'elle dansait d'un pied sur l'autre, en proie à une terrible indécision, elle entendit un gémissement étouffé à travers la porte. Andreas souffrait. Elle se précipita immédiatement dans la pièce et courut vers le lit. Le visage enfoui dans l'oreiller, il ne laissait voir que ses boucles noires, chaque jour plus épaisses et brillantes. Lauren lui toucha l'épaule.

— Andreas, que se passe-t-il ?

Il ne répondit pas tout de suite, puis sans se tourner vers elle, il murmura d'une voix faible :

— Rien. C'est ma tête...

Elle s'assit auprès de lui et lui massa doucement la nuque.

— As-tu très mal ? Veux-tu que j'appelle l'infirmière ?

— Non, je vais déjà mieux, soupira-t-il, et elle sentit ses muscles se détendre sous ses doigts. Tu me fais du bien, continue.

Elle s'exécuta un moment, puis retira soudain ses mains. Une rougeur avait envahi son visage. Elle se rendait compte des sentiments qui s'éveillaient en elle. Toutes ses fermes résolutions s'étaient envolées.

Andreas resta encore quelques instants couché sur le ventre, puis il changea de position et la regarda.

— Tu es en retard, je croyais que tu ne viendrais plus.

— Je travaillais, fit-elle en baissant la tête.

— Tu peignais ?

Il avait posé la question avec une tranquillité déconcertante. Lauren tenta d'analyser son expression, d'y trouver un indice, mais rien ne transparaissait derrière son apparence de calme. S'il jouait la comédie, il s'avérait excellent acteur. Et si Jimmy se trompait ? Pouvait-elle se permettre de lui infliger le choc de la vérité ? Jamais elle ne se pardonnerait de lui avoir causé du tort. Le risque était trop grand.

Il lissait machinalement son drap, l'air songeur, et subitement, il demanda sur un ton neutre :

— Vois-tu beaucoup Colby ?

Lauren prit une profonde inspiration et répondit :

— De temps à autre.

Elle s'efforça en vain de deviner ses pensées, mais son regard ne trahissait toujours rien. Elle lui trouva mauvaise mine et son cœur se serra à la vue de ses traits pâles et tirés.

— Tu es fatigué, je vais te laisser dormir, décida t-elle.

Etendant le bras, il s'empara fermement de sa main.

— Reste.

Il ne s'agissait pas d'une prière mais d'un ordre.

— Ma mère a organisé notre départ en Grèce, ajouta-t-il.

Lauren sursauta et voulut dégager sa main.

— Andreas, commença-t-elle, déterminée à lui parler cette fois, car il n'était pas question pour elle de le suivre en Grèce.

Il l'interrompit, poursuivant très vite :

— Une infirmière nous accompagnera, tu n'as pas à t'inquiéter. D'ailleurs, je suppose qu'ils me drogueront pour le voyage. Ils ne voient pas ce départ d'un très bon œil, mais je ne veux plus rester ici. J'en ai assez de l'hôpital. J'ai hâte de me retrouver chez moi et au soleil. Ah Lauren, je suis sûr de me rétablir très rapidement dans mon pays !

— Connais-tu déjà l'infirmière qui s'occupera de toi ? s'enquit Lauren, plus pour gagner du temps que par réelle curiosité.

Andreas éclata de rire.

— Oui, elle est venue ce matin pour prendre les instructions des médecins.

Il décocha à Lauren un coup d'œil et un sourire provocants.

— Attends un peu de la voir ! Je ne m'imaginais pas les infirmières ainsi !

— Comment ? lança Lauren, instantanément enflammée par la jalousie, reconnaissant cette douleur lancinante bien familière.

— Une superbe rousse avec une silhouette de star, annonça-t-il, les yeux brillants de malice. Quand elle me prendra le pouls, il sera toujours trop rapide !

Andreas paraissait ravi de la colère qu'il voyait sur le visage de Lauren. Elle se détendit subitement en pensant que s'il n'avait pas vraiment perdu la mémoire, il ne se risquerait pas à la taquiner ainsi. Or il riait et se montrait espiègle comme au début de leur mariage, lorsqu'il s'amusait à la mettre en rage. Elle ne pouvait pas s'imaginer qu'il se souvenait en ce moment de Martine et de leur divorce, sinon il n'aurait pas plaisanté avec une telle légèreté. Il ne se serait pas aventuré sur le terrain de l'infidélité, même sur ce ton badin.

Quand elle le quitta dix minutes plus tard, ils n'avaient pas reparlé de la Grèce. Lauren se sentait toutefois sur le point de céder. L'idée de vivre seule avec lui à la villa la tentait... Elle marcha pendant une heure dans les rues glacées de Londres, pesant le pour et le contre, traversant la ville sans la voir.

Elle s'arrêta devant la fontaine de Trafalgar Square et s'avoua enfin crûment la vérité. Elle désirait partir. Elle ne savait pas si Andreas lui ouvrait les portes du paradis ou de l'enfer, mais elle avait envie de le suivre, et son amnésie lui fournissait un prétexte idéal. Durant ces dernières semaines, elle avait eu le temps de se rendre compte qu'elle souffrait encore bien davantage d'être séparée de lui que de sa trahison passée. L'orgueil lui commandait de ne plus jamais le revoir, mais l'amour, vibrant, obsédant, l'incitait précisément au contraire.

Au début, torturée par la jalousie, elle avait songé à prendre un amant pour rendre la pareille à Andreas. Son sens de l'honneur l'en avait heureusement dissuadée. Une ou deux fois, elle s'était laissée aller à fréquenter un homme rencontré ici ou là, mais elle avait toujours mis fin à la relation avant de commettre l'irréparable.

Elle aurait pu se donner à Philip mais, sur les conseils de son père, elle avait séjourné loin de Londres durant quelques mois. Elle était revenue délivrée de ses idées de vengeance et, refusant toute liaison, elle s'était lancée à fond dans le travail.

Elle n'avait jamais oublié la volupté découverte dans les bras d'Andreas. Lorsqu'elle s'était décidée à épouser Philip, elle savait d'avance qu'elle devrait se contenter d'une tendre affection à la place de la passion qu'elle avait connue.

Pour régler une fois pour toutes la question de ce voyage en Grèce, elle décida d'avoir une discussion avec Lydia. Elle lui exposa ses doutes sur l'amnésie d'Andreas et les sentiments divers qui la déchiraient.

— Vous compliquez trop les choses, déclara Lydia.

C'est pourtant très simple. Avez-vous oui ou non envie de partir avec Andreas?

— Oui, et vous le savez bien, gémit Lauren.

Elle surprit une lueur de satisfaction dans les yeux noirs de Lydia. Elle ne pouvait même pas lui en vouloir. La mère d'Andreas souffrait elle aussi. Elle n'avait jamais accepté leur séparation. Deux ans plus tôt, elle avait téléphoné à Lauren pour lui apprendre que Martine s'était noyée en Grèce et qu'Andreas était de nouveau libre. Très choquée, Lauren lui avait crié que ces nouvelles ne l'intéressaient pas le moins du monde, et elle avait raccroché. Nullement découragée par cette réaction, Lydia avait rappelé pour lui proposer de déjeuner avec elle. Lauren l'avait encore évincée, et Lydia ne s'était enfin résignée qu'après plusieurs autres tentatives infructueuses.

La jeune femme la considérait maintenant en fronçant les sourcils.

— Andreas était-il au courant quand vous m'avez contactée après la mort de Martine?

Lydia hésita. Lauren vit à son expression qu'elle songea un instant à mentir, puis elle secoua la tête.

— Non, il ignorait ma démarche.

Une amère déception envahit Lauren.

— Mais il voulait vous revoir, ajouta précipitamment Lydia. J'en suis sûre et je le connais bien, admettez au moins cela. Il ne pensait qu'à vous, tout le temps, je le voyais bien. C'est l'appréhension qui l'empêchait de revenir vers vous. Il craignait d'être de nouveau violemment repoussé et de raviver sa peine.

Lauren s'emporta:

— Andreas a eu de la peine! Vraiment! Peut-être aurais-je dû le consoler! Mais c'est lui qui m'a causé un atroce chagrin! Oh Lydia, je le hais, je lui en veux!

D'une moue silencieuse, Lydia fit comprendre à Lauren qu'elle ne la croyait pas. Elle ne détestait pas son ex-mari autant qu'elle le prétendait. Et la jeune femme sembla se voûter soudain. La fureur passée, elle se retrouvait vidée, écœurée d'elle-même, d'Andreas et de tout.

— Il y a encore six semaines, tout était clair en moi, je l'exécrais. Et puis il y a eu cet accident, et au fil de mes visites, je me suis sentie faiblir. Je me demande si Andreas a vraiment perdu la mémoire. J'ai l'impression qu'il joue avec moi.

La figure parsemée de fines rides de Lydia exprimait une tranquille obstination.

— Et même si c'était le cas, ne pouvez-vous comprendre son attitude ?

Lauren se raidit. Lydia reconnaissait-elle que son fils simulait l'amnésie ?

— Les docteurs sont convaincus qu'il a réellement perdu la mémoire, ajouta-t-elle, devinant sa réaction. Mais même s'il s'agissait d'une ruse, Lauren, mettez-vous à sa place ! Pour son orgueil, il lui fallait inventer un stratagème. Andreas est un Keralides, il ne peut pas s'avouer désarmé, surtout pas devant une femme.

— Et mon orgueil à moi, protesta Lauren, il ne s'est pas gêné pour le maltraiter !

Lydia écarta les mains en un geste magnanime.

— Les femmes sont plus souples, vous le savez bien. Nous ne sommes pas comme ces hommes prêts à mourir stupidement parfois par fierté. Notre bon sens nous tient à l'écart de ces exagérations.

— Vous parlez des Grecs, nota Lauren. Un Anglais, à notre époque, ne meurt plus par fierté, croyez-moi.

— Nous parlons d'Andreas, ma chère, mon fils et votre mari ! répliqua Lydia sur un ton poli mais discrètement chargé de reproche.

Lauren secoua la tête.

— Il n'est plus mon mari.

— Même au fond de votre cœur ?

— Depuis que je l'ai surpris avec Martine, je n'ai

plus de cœur, expliqua sombrement la jeune femme. Longtemps j'ai cru que tout sentiment était mort en moi. Non, j'ai assez payé pour apprendre, je ne considère plus en aucune façon Andreas comme mon mari.

— Alors pourquoi êtes-vous tentée de l'accompagner en Grèce ? lança Lydia d'un ton où perçait déjà un léger espoir.

Lauren rougit et bondit sur ses pieds.

— Je dois être complètement folle, sinon je n'y songerais même pas un instant !

— Pourtant vous partirez, Lauren, n'est-ce pas ? fit doucement Lydia avec un sourire.

Debout, les poings serrés, tiraillée entre le cœur et la raison, la jeune femme ne pouvait répondre.

Au bout d'un long moment, elle déclara :

— Si je pars, je ne veux pas d'une infirmière rousse, Lydia.

Celle-ci ouvrit de grands yeux.

— Qu'est-ce que vous dites ?

— Andreas prétend que l'infirmière que vous avez engagée est une beauté.

La jalousie poussait Lauren à se conduire comme une enfant et elle y trouvait un certain réconfort. Elle fixa Lydia avec un air buté et puéril.

— Changez d'infirmière, trouvez-en une plus âgée, commanda-t-elle. Je ne supporterai pas qu'Andreas me taquine avec cette rousse.

Lydia éclata de rire, ne pouvant dissimuler son contentement.

— Il semble avoir déjà commencé !

— Oui, il avait l'air de s'amuser innocemment, mais je ne l'accepterai pas deux fois.

— Bon, très bien, je vous promets de choisir l'infirmière la plus laide et la plus vieille que m'offrira l'agence.

Lydia riait encore quand elle accompagna Lauren jusqu'à la porte.

— Et vous osez affirmer que vous n'éprouvez plus rien pour Andreas !

— J'aimerais qu'il me soit indifférent, déclara la jeune femme en soupirant. En tout cas, je ne lui ai pas pardonné et je ne lui pardonnerai jamais ce qu'il m'a fait.

Quatre jours plus tard, Lauren s'envolait avec Andreas pour la Grèce dans l'avion privé des Keralides. Agée d'une bonne cinquantaine d'années, l'infirmière qui voyageait avec eux dissimulait difficilement son embonpoint sous son uniforme bleu marine. Elle s'occupait de son malade avec une tranquille assurance.

Lorsqu'elle l'eut installé, elle gagna son propre siège, et Andreas jeta immédiatement un coup d'œil plein d'humour à Lauren.

— C'est à toi que je dois cette fée, je suppose ?

Lauren prit son air le plus naïf.

— Je ne vois pas de quoi tu parles.

— Vraiment pas ?

Andreas l'épiait avec malice. L'avion pencha soudain violemment d'un côté et elle étouffa un cri. Il lui prit aussitôt la main.

— Ce n'est rien, ne t'inquiète pas, l'avion tourne pour entrer dans son couloir.

Lauren étudia la main amaigrie qui couvrait la sienne et tressaillit à son contact. Elle avait vu Andreas tous les jours ces derniers temps mais, hors de l'hôpital, la situation changeait du tout au tout.

Il retira sa main, comme s'il avait lu ses pensées, et tourna la tête vers le hublot, lui présentant son profil dur et indéchiffrable.

Très vite, ses paupières se fermèrent. Les calmants pris avant le décollage commençaient à agir et il s'endormit sous les yeux de Lauren.

Il se réveilla au cours du vol, mangea sans grand

appétit et s'assoupit de nouveau. Ses traits se déten-
daient dans le sommeil, sa bouche paraissait plus
tendre. Il laissait tomber sa tête du côté de Lauren et
elle ressentit un violent désir de la caresser. Elle aurait
pu se le permettre, il ne s'en serait pas rendu compte,
mais elle préféra résister, et elle s'obligea à fixer un
point droit devant elle.

Comme elle avait du mal à le détester! Elle devait
sans cesse ranimer en elle une colère qui lui semblait de
plus en plus appartenir à un passé sans importance.

D'Athènes, ils décollèrent de nouveau en direction
de la petite île d'Aelimos. L'obscurité la leur cacha
lorsqu'ils la survolèrent avant d'atterrir. La villa se
trouvait à moins d'un kilomètre de la piste et, dans la
voiture, Andreas évoqua des souvenirs de cet endroit
qu'il connaissait depuis sa petite enfance.

Spiro conduisait. Son énorme corps massif et musclé
paraissant occuper tout l'avant du véhicule. Il parlait en
grec à Andreas par-dessus son épaule.

Fatiguée, Lauren somnolait sans écouter les deux
hommes et, quand ils arrivèrent, elle sortit de sa
torpeur pour découvrir qu'elle s'appuyait contre
Andreas et qu'il avait passé un bras autour de son
épaule.

Elle se redressa immédiatement, les joues en feu.
Spiro aida Andreas à descendre du véhicule et celui-ci
insista pour marcher jusqu'à la maison. Il fut obligé de
se reposer presque à chaque pas, mais il atteignit son
but sous les applaudissements chaleureux de Spiro.

Le domestique veillait en permanence sur la demeure
des Keralides avec sa femme, Helen, qui accueillit
Andreas en pleurant de joie. Elle et son mari l'avaient
vu naître et ils pouvaient se comporter et s'exprimer
très librement devant lui.

Petite et trapue, Helen était toujours vêtue de noir.
La mer lui avait enlevé un fils dix ans plus tôt et elle le
pleurait toujours. Elle continuait à allumer pour lui des

cierges dans la petite église de l'île. Dimitri, son autre fils, vivait avec sa famille à l'intérieur des terres. Tous les dimanches, il rendait visite à ses parents.

Entre Helen et Andreas, les effusions n'en finissaient pas. Lauren attendait, immobile auprès d'eux. La femme remarqua enfin sa présence et lui tendit les bras comme elle les avait tendus à Andreas. Docilement, Lauren se laissa aller contre elle. Croisant le regard de la Grecque, il y lut une indiscutable satisfaction.

Elle prononça quelques mots en anglais, puis poursuivit dans sa langue, sachant que Lauren la comprenait si elle parlait assez doucement. La jeune femme avait appris le grec durant les premiers mois de son mariage. La famille Keralides connaissait parfaitement l'anglais, mais ne s'était pas privée de discuter en grec devant elle, l'excluant impitoyablement de ses conversations.

Andreas parut soudain épuisé et l'infirmière intervint pour le prier d'aller se coucher. Helen les précéda dans l'escalier. Le grand-père d'Andreas avait fait construire cette demeure quarante ans plus tôt et elle restait aujourd'hui encore telle qu'il l'avait conçue. Les Keralides ne souhaitaient pas nuire à son harmonie par des transformations maladroites.

Helen abandonna de mauvais gré Andreas aux soins de l'infirmière. Son regard noir exprimait la méfiance. Elle aurait préféré s'occuper de son cher Andreas elle-même. Son hostilité à l'égard des étrangers avait aussi visé Lauren dans le passé. A présent, elle semblait désireuse de bien l'accueillir et elle s'empressait gentiment autour d'elle, lui proposant à boire et à manger, se mettant entièrement à son service. Enfin seule dans sa chambre, Lauren songea que Spiro et Helen avaient sans nulle doute reçu des instructions de Lydia. Ils étaient au courant de tout, comme le prouvait leur attitude absolument dénuée d'étonnement.

La jeune femme était trop fatiguée à cette heure pour approfondir la question. Elle s'assoupit à l'instant même où elle ferma les yeux, et elle dormit d'un sommeil de plomb tout au long de la nuit.

Lorsqu'elle se réveilla, il faisait jour. La mer se brisait avec un bruit régulier contre les rochers, les rayons de soleil jouaient sur les murs de la pièce. Une paix bienfaisante régnait sur les lieux. Toute la tension et l'énervement des dernières semaines semblaient appartenir à un ailleurs déjà lointain. Et soudain, le cœur de Lauren fit un bond dans sa poitrine. Elle se rendait enfin pleinement compte que pour la première fois depuis cinq ans, elle se trouvait de nouveau sous le même toit qu'Andreas.

5

Andreas était plus éprouvé par le voyage qu'il ne voulait l'admettre. L'infirmière l'obligea à garder le lit pendant les deux premiers jours, malgré ses protestations. Elle avait d'ailleurs raison. Chaque fois que Lauren se rendit auprès de lui, elle le trouva endormi, ses traits portant des marques d'épuisement. Percevant sa présence, il se réveillait, souriait faiblement et se moquait de lui-même :

— J'ai laissé toutes mes forces dans l'avion ! Je suis désolé, Lauren.

Elle repoussait gentiment les boucles noires sur son front.

— Ne t'inquiète pas, tu les récupéreras vite.

Pendant qu'il se reposait, elle se promenait autour de la villa, effectuant un pélerinage dans le passé. A chaque pas, un souvenir surgissait de sa mémoire. Elle se revoyait à dix-huit ans et, avec l'expérience, elle comprenait combien elle avait été maladroite. Elle ne savait pas vraiment alors quel genre d'homme était Andreas, et elle se montrait elle-même trop indécise et vulnérable. Sa naïveté avait fait d'elle une victime facile pour Martine. Elle ne s'étonnait plus de l'avoir vue rire quand elle l'avait surprise dans sa chambre.

Lors de ses séjours à la villa avec Andreas à l'époque de leur mariage, ils avaient passé des heures sur la plage privée qui succédait un peu plus bas aux jardins. Andreas adorait se prélasser au soleil. Pour le taquiner, elle l'avait une fois comparé à un lézard. L'île en était envahie. Chaque rocher, chaque pierre possédait le sien, offert immobile aux rayons brûlants. En cette période de l'année, ils hibernaient. La mer ressemblait à un froid miroir peu engageant. Lauren ne rencontra pas âme qui vive sur le rivage. Seuls les oiseaux tournoyaient en poussant des cris aigus au-dessus des vagues coiffées d'écume blanche.

Au matin du troisième jour, Andreas voulut se lever en dépit des conseils de son infirmière. Elle souhaitait lui imposer un repos plus long, mais lutter contre une décision d'Andreas ne constituait pas une mince affaire.

— Je me lève, que vous le vouliez ou non ! cria-t-il.

De sa chambre, Lauren entendit la dispute et un demi-sourire éclaira son visage. Elle retrouvait l'homme qu'elle avait connu. C'était la première fois que sa voix reprenait de tels accents.

Debout devant le miroir, la jeune femme se regardait en hésitant. Andreas n'aimerait pas le pantalon noir qu'elle avait mis. Il avait horreur de la voir dans ce genre de tenues. Elle se révolta soudain contre elle-même. De quoi se souciait-elle ? Elle n'avait plus à tenir compte des goûts d'Andreas pour s'habiller. S'écartant vivement de la glace, elle quitta la chambre la tête haute. Elle n'allait tout de même pas chercher à plaire à son ex-mari !

Elle frappa à sa porte et l'infirmière lui ouvrit. Son visage d'ordinaire rougeaud était en cet instant franchement cramoisi.

— Il n'est pas sage, madame Keralides ! lança-t-elle sur un ton contrarié, comme si Andreas était un vilain petit garçon méritant une bonne fessée.

Et il la méritait, songea Lauren. Andreas était assis

dans son lit, les bras croisés sur son pyjama en soie, les yeux lançant des éclairs.

— Qu'est-ce que vous racontez ? gronda-t-il. Lauren, viens ici ! Je ne veux pas qu'on conspire derrière mon dos !

Lauren adressa un sourire d'excuse à l'infirmière et traversa la pièce. Andreas l'observait et elle fut gênée par le regard qui descendit de sa belle chevelure blonde à sa poitrine ferme, puis découvrit le pantalon avec une lueur réprobatrice.

— Pourquoi es-tu vêtue ainsi ? fit-il avec impatience. Je déteste les femmes en pantalon. Va te changer !

Lauren releva ironiquement un sourcil et le considéra froidement.

— Alors, on n'est pas gentil ce matin !

L'infirmière arriva derrière elle et renchérit :

— Cela veut dire qu'on se sent mieux, n'est-ce pas ?

Andreas les fusilla toutes les deux du regard.

— Cessez de me parler comme si j'étais un enfant ! Je ne le tolérerai pas !

— Dans ce cas, sois raisonnable, reste couché. Tu es encore trop faible pour te lever, répliqua Lauren, ravie de le voir en proie à une rage impuissante.

— Dans cinq minutes, je serai debout, marmonna-t-il entre ses dents.

— Non, mon chéri, il faut obéir à l'infirmière, soutint la jeune femme sur un ton empreint de sollicitude, se réjouissant de le rendre encore plus furieux.

Il fulminait. Encouragée par l'appui que lui apportait Lauren, l'infirmière insista :

— Votre femme a raison.

Lauren enfonça encore le couteau dans la plaie. Tout miel, elle susurra :

— L'infirmière sait mieux que toi ce qu'il faut faire.

Un instant, elle crut être allée trop loin car Andreas serra les poings. Puis il se tourna sur le côté, ne leur montrant plus que son dos.

— Allez au diable ! maugréa-t-il avant de s'enfoncer dans un silence boudeur.

L'infirmière s'éclipsa et Lauren contempla un moment la tête noire et les cheveux qui bouclaient sur la nuque.

— As-tu l'intention d'être de mauvaise humeur toute la journée ? demanda-t-elle finalement.

Il consentit à se tourner de nouveau vers elle.

— Je ne supporte plus de rester au lit.

Il baissa les paupières et ajouta :

— Je comptais passer quelques heures avec toi.

A la manière dont il prononça ces mots, Lauren se raidit et recula d'un pas. S'efforçant de paraître calme, elle déclara :

— Tu es encore malade, Andreas. C'est dur pour toi, je m'en doute, mais il faut faire preuve de patience. Accorde-toi suffisamment de temps pour te remettre de la fatigue du voyage.

Il la fixait étrangement entre ses cils.

— Entendu, mais reste avec moi.

Son intonation en disait plus long que ses paroles et Lauren se sentit rougir. Elle essaya de donner le change.

— Si je reste, tu ne te reposeras pas. Tu vas vouloir bavarder. Un peu de patience, Andreas.

Elle se dirigea vers la porte.

— Où vas-tu ? s'écria-t-il en se redressant brutalement, l'air aussi arrogant qu'un empereur romain.

— Me promener, répondit-elle. Je repasserai te voir plus tard.

— Reviens ! ordonna-t-il mais elle sortit quand même, assez fière d'elle.

Dehors, elle croisa l'infirmière et lui dit :

— Surveillez-le bien, s'il vous plaît, il serait bien capable de s'échapper.

Puis elle quitta la villa et descendit à travers les jardins jusqu'à la mer. Le vent soufflait, dérangeant sa coiffure et fouettant ses joues. Elle était enchantée d'avoir pour une fois imposé sa volonté à Andreas. Du coup, elle se croyait moins faible face à lui. Elle ne se faisait pourtant pas d'illusions. Dès qu'il aurait retrouvé la santé, Andreas renverserait vite la situation. Formé par des années de richesse et de pouvoir, son caractère le portait à dominer. Tout en se montrant indulgent à son égard au début de leur mariage, il l'avait tout de suite maintenue dans une sorte d'esclavage, ne lui permettant pas d'oublier une seconde qu'il était le maître. Même dans leurs plus beaux moments d'intimité, il avait toujours eu l'air de la considérer comme un objet qui lui avait plu et qu'il avait ramené chez lui.

Jamais elle ne s'était sentie son égale. Pour lui, l'initier à l'amour avait été un jeu, mais jamais il ne s'était abandonné totalement lui-même à la passion. Le regard perdu sur l'étendue d'eau bleu-gris, Lauren évoquait ses souvenirs. Jamais Andreas ne l'avait vraiment prise au sérieux, découvrait-elle, peut-être parce qu'elle n'était pas une femme de son pays. Et il s'était finalement lassé d'elle comme d'un joli jouet, lui préférant Martine, une Keralides comme lui.

Andreas fit savoir à Lauren par l'intermédiaire d'Helen qu'il désirait la voir, mais elle ne retourna pas dans sa chambre de toute la journée. Elle se coucha tôt, sans inquiétude. L'infirmière avait donné à Andreas un somnifère et il dormait. Elle s'assoupit elle-même rapidement, fatiguée par sa longue promenade.

Le lendemain, Andreas lisait un journal grec quand elle se rendit auprès de lui. Ils se mesurèrent du regard et elle comprit immédiatement qu'il n'était plus dans les mêmes dispositions que la veille.

— Tu as bien meilleure mine aujourd'hui, déclara-t-elle en marchant jusqu'à la fenêtre pour contempler le ciel bleu pâle. Et le temps est meilleur aussi. Le vent est tombé.

— Viens ici, commanda Andreas sur un ton qui comportait une imperceptible menace.

— Je crois que je vais longer un peu la côte ce matin, annonça Lauren, feignant de n'avoir pas entendu.

— Si tu ne viens pas, je vais te chercher !

Elle se retourna et joua l'étonnée.

— Qu'y a-t-il ? Tu es encore de mauvaise humeur ? D'après l'infirmière, c'est un signe de rétablissement.

Il serra les dents et lança d'une voix sourde :

— Bon sang, tu mérites ce qui va t'arriver !

Elle se figea soudain, puis s'approcha du lit en étudiant attentivement Andreas. Avait-elle rêvé cette expression dure et provocante qu'elle avait bien connue dans le passé ? Andreas était-il déjà en train de redevenir l'homme qu'il était avant l'accident ?

— Parle-moi plus gentiment, Andreas, déclara-t-elle avec une certaine froideur.

Son regard la scruta, puis il tendit la main, s'emparant d'elle en traître, l'attirant sur le lit, la maintenant si fermement qu'elle ne pouvait pas se dégager.

— Laisse-moi ! s'écria-t-elle, essayant d'éviter les lèvres qui cherchaient les siennes.

Ne répondant pas, Andreas poursuivit sa tentative. Elle perçut la colère qui l'animait. Il parvint enfin à amener son visage près du sien et, à l'instant où leurs yeux se rencontrèrent, elle sut la vérité.

— Tu... tu te souviens... de tout ! souffla-t-elle, tremblante.

Andreas ne disait toujours rien. L'empêchant de formuler les accusations qui grondaient en elle, il l'embrassa, meurtrissant sa bouche, lui infligeant la marque de sa possession, sans aucune tendresse, dans le seul but de la soumettre à lui. Elle le repoussa de toutes ses forces, refusant de céder et finalement, il releva la tête.

Elle soutint son regard diaboliquement ironique et, haletante, murmura :

— Quand as-tu retrouvé la mémoire ?

— Après ta deuxième visite à l'hôpital.

Cet aveu éhonté lui coupa le souffle pour de bon. D'abord paralysée de stupeur, elle se débattit ensuite en criant :

— Sale menteur ! Lâche-moi ! Je m'en vais ! Je ne reste pas une seconde de plus ici !

— Pars-tu à la nage ? s'enquit-il, moqueur.

Il pouvait rire, bien sûr ! Elle était sa prisonnière sur cette île.

— Je prendrai un bateau, déclara-t-elle sur un ton de défi.

Pour tout résultat, Andreas éclata de rire. Pas un homme d'Aelimos n'oserait l'aider contre la volonté d'un Keralides. Lauren ne pouvait s'en prendre qu'à elle-même pour être tombée dans ce piège.

Elle considéra son ex-mari avec une amertume mêlée de colère.

— Pourquoi as-tu menti durant toutes ces semaines ?

— N'as-tu pas une seule fois soupçonné que j'avais retrouvé la mémoire ? fit-il, toujours aussi ironique.

— Evidemment, rétorqua-t-elle violemment.

— Et alors ?

Il l'observait, les yeux brillant d'une tranquille insolence.

— Je ne pouvais pas te croire aussi pervers. J'ai eu tort. Ce comportement te ressemble tout à fait. Mais j'ai du mal à admettre qu'on puisse agir d'une façon aussi malhonnête.

Le coup porta. Andreas tenta toutefois de le cacher en conservant son sourire arrogant, mais son regard s'assombrit. Lorsque Lauren essaya de se dégager, il resserra ses bras autour d'elle.

— Ne bouge pas, murmura-t-il.

— Je ne peux pas supporter que tu me touches, répliqua-t-elle avec une moue de mépris.

Il s'obstina à sourire mais la serra encore plus fort.

Elle perçut son désir de lui faire mal derrière ce masque d'humour.

— Tu ne peux pas me garder ici contre mon gré, affirma-t-elle sans croire elle-même ce qu'elle disait.

— Vraiment ?

— Je trouverai un moyen de quitter l'île.

Il exagéra son amusement, à dessein.

— Comme je te l'ai suggéré, tu peux nager. J'espère que tu as fait des progrès. La dernière fois que je t'ai vue dans l'eau, tu barbotais tout juste !

Trop furieuse pour répondre, Lauren détourna les yeux et chercha une parade.

— Très bien, admit-elle au bout d'un moment, tu peux me garder prisonnière, mais pas m'obliger à te voir.

— Comment ? Tu t'es montrée si gentille durant toutes ces semaines. J'ai vraiment apprécié ta conduite lors de tes visites à l'hôpital. Tant de douceur et de sollicitude ! Je t'ai à peine reconnue. Je pensais que tu avais changé.

— Tu te trompais.

— Quel dommage ! Tu jouais si bien la comédie que je me suis laissé prendre.

— C'est moi qui jouais la comédie !

— Tu aurais dû être une actrice, ajouta-t-il sans se soucier de son indignation.

— Je ne suis pas de ton niveau, Andreas, rétorqua-t-elle. Tu as été magnifique. J'ai vraiment eu pitié de toi. Tu nous a menées comme tu le voulais, ta mère et moi.

Elle fronça soudain les sourcils.

— As-tu réellement abusé ta mère aussi ? Je parie qu'elle est de connivence avec toi !

Andreas ne put dissimuler son hésitation. Il était tenté de mentir mais, quand son regard croisa celui de Lauren, elle y lut la vérité.

Une terrible douleur étreignit la jeune femme. Lydia était complice. Quelle pénible découverte !

— Mon Dieu, je ne l'aurais jamais crue capable d'un tel comportement ! s'écria-t-elle, encore tout abasourdie. Comment a-t-elle pu me tromper, moi ?

Les mains d'Andreas retombèrent sur le drap, libérant la jeune femme.

— Je mérite tous les reproches, annonça-t-il calmement. C'est moi qui l'ai priée de ne pas t'avertir quand la mémoire m'est revenue. Elle se trouvait à mon chevet lorsque les premiers souvenirs ont commencé à ressurgir. J'ai dû la supplier de ne pas t'en parler.

Il feignit de s'absorber dans la contemplation du paysage par la fenêtre. Lauren étudiait les lignes dures de son visage en tentant de se ressaisir.

— Mais pourquoi, pourquoi ne m'as-tu rien dit ?

Il haussa les épaules.

— Je te l'ai expliqué, la situation me plaisait.

— Ah oui, tu voulais profiter de ma « douceur » et de ma « sollicitude » ! fulmina-t-elle, reprenant les termes d'Andreas. Tu t'es moqué de moi et Lydia aussi. Elle t'a toujours trop gâté.

— Je n'ai pas été aussi gâté que toi, répliqua-t-il en riant.

— Qu'est-ce que tu insinues ?

— Ton père t'a laissé trop de liberté, fit-il avec une froideur inattendue. Tu es devenue capricieuse et indifférente aux besoins des autres.

— A tes besoins ! rectifia-t-elle hargneusement.

— J'étais ton mari, lui rappela-t-il.

— Mon propriétaire, tu veux dire ! Tu me gardais comme un chat ramassé dans la rue. Oh certes, j'avais droit à un coussin de soie et à beaucoup de lait crémeux, mais je n'ai jamais réellement partagé ta vie. Tu avais ta chère famille pour les affaires sérieuses, moi je n'étais qu'un jouet !

Elle tenta de se relever en parlant mais, sans en avoir l'air, Andreas la retint, l'obligeant à rester allongée contre lui.

— Un jouet aux dents pointues, Lauren, affirma-t-il. Tu m'as plus d'une fois laissé des marques.

— Seulement lorsque tu jouais trop brutalement avec moi, répliqua-t-elle, les paupières baissées.

— Tu n'avais pas toujours horreur des traitements que je t'infligeais, lança-t-il en caressant sa joue.

— Je te déteste, murmura-t-elle.

— C'est très intéressant, approuva-t-il. Ne t'est-il jamais venu à l'idée que cette haine était plus excitante que décourageante ?

Le cœur battant plus vite, elle rétorqua :

— Uniquement pour une brute qui aime faire souffrir les femmes.

Cette réponse eut le don de l'irriter. Il resserra douloureusement son étreinte.

— Ne me mets pas en colère sinon je vais te montrer si je suis une brute !

— Je le sais déjà, fit-elle froidement.

Andreas ne réagit pas immédiatement. Puis il la questionna sur un ton différent.

— Et Colby, est-il une brute lui aussi ?

— Philip ?

— Oui, insista-t-il. Je l'ai toujours pris pour une mauviette plutôt que pour un homme. Ne me dis pas que tu as trouvé le bonheur auprès de lui ?

— Je l'aime, affirma Lauren, et je n'ai pas l'intention de parler de lui avec toi.

— Te sers-tu aussi de tes dents contre lui, ou tout n'est-il que douceur et tendresse entre vous ?

— Oh, tais-toi ! protesta-t-elle, sachant qu'il la tourmentait délibérément. Philip est bon et patient.

— Patient, exactement ! coupa-t-il. Il t'a attendue pendant des années et même à l'époque de notre mariage, tu ne cessais de courir chez lui.

— Je peignais dans l'atelier de mon père. Je l'y rencontrais seulement quand il venait en visite.

Andreas éclata d'un rire amer.

— La peinture... Quel prétexte idéal !

Vexée, elle braqua sur lui un regard furibond.

— Que tu le croies ou pas, je peins très bien et je suis en train de me faire un nom.

— C'est Colby qui travaille à ta gloire. Une fois, tu m'as dit toi-même qu'un marchand de tableaux peut couler ou pousser un artiste à son gré. Colby te réserve un traitement de faveur.

— C'est faux, assura Lauren, bouillonnant de colère. Tu ne peux pas tolérer la réussite d'une femme. Pour toi, nous sommes toutes incapables de quoi que ce soit !

— Oh non, railla-t-il, terriblement insolent, les femmes sont capables de certaines choses !

Lauren s'empourpra à cette réplique. Elle essaya de relever la tête, mais Andreas la tenait à la nuque et il déposa sans difficulté ses lèvres sur les siennes. Différent complètement du précédent, ce baiser fut long, langoureux et délibérément sensuel.

Lauren ne voulait pas y répondre. Elle resta raide et immobile malgré les émotions qui naissaient en elle.

Andreas s'écarta soudain et ils se regardèrent, chacun essayant de remporter un point sur l'autre.

— Colby ne t'a rien appris, fit-il sur un ton méprisant.

— Il m'a appris à détester la bestialité, rétorqua-t-elle, cassante, et elle profita de la seconde où il resta déconcerté pour lui échapper.

Elle quitta aussitôt la villa et courut jusqu'à la mer. Il lui fallait la solitude des rochers pour retrouver son calme.

Elle était entièrement responsable de ce qui lui arrivait. Jimmy et Philip l'avaient suffisamment prévenue. Sa faiblesse à l'égard d'un homme qu'elle aurait dû haïr l'avait conduite dans ce piège.

Jimmy avait bien essayé de la mettre en face des faits,

mais elle s'était refusée à voir la vérité. Elle avait consenti à jouer le jeu d'Andreas.

Elle se couvrit le visage de ses mains. Oh oui, elle avait pleinement consenti, quelle humiliation ! Lydia n'avait même pas eu besoin de se donner beaucoup de mal pour la convaincre. Assez fine pour sentir que Lauren ne demandait pas mieux au fond que de continuer cette comédie, elle avait accepté d'appuyer son fils.

« Je n'ai donc aucune fierté ! » se dit la jeune femme, désespérant d'elle-même. Ses yeux tombèrent sur le large anneau qu'elle portait en guise d'alliance. Elle l'ôta et, de colère, elle fut un instant tentée de le jeter à l'eau. Elle se ravisa pourtant, se borna à le glisser dans l'une de ses poches. Du moins n'avait-elle plus besoin de le garder au doigt.

Elle longea le rivage. Une tempête s'était déchaînée dans son esprit. Qu'allait-elle faire à présent ? Pour quitter l'île, il lui fallait un bateau et aucun pêcheur ne voudrait l'emmener, même en échange d'une grosse somme d'argent. Pas un habitant d'Aelimos ne risquerait d'encourir la vengeance d'Andreas. Elle n'était plus en Angleterre mais en Grèce. Andreas jouissait d'un grand pouvoir dans le pays, et particulièrement sur cette île. Elle n'avait aucune chance contre lui.

De plus en plus fort et plus froid, le vent commençait à la transpercer à travers sa veste en cuir. Lauren sentit soudain sa fatigue. Tout à ses pensées, elle avait parcouru sans s'en apercevoir un chemin considérable. La villa n'était plus en vue et elle frémit à l'idée du chemin qui l'attendait pour y revenir.

Après réflexion, elle haussa les épaules. Plus elle serait épuisée, mieux cela vaudrait. Elle n'aurait plus l'énergie de se tourmenter et peut-être trouverait-elle cette nuit un sommeil consolateur.

Se souvenant d'un raccourci qu'elle avait pris autrefois, elle tourna le dos à la mer et coupa entre les rochers. Il y avait peu de voitures sur l'île. Les gens se déplaçaient soit à pied, soit à dos d'ânes. Il s'agissait d'une race assez petite, aussi agile que les chèvres sur les terrains les plus inégaux. L'île n'était par ailleurs pas très peuplée. Quelques pêcheurs et quelques fermiers y menaient une vie rude. Il fallait un avion ou un bateau pour partir, et Lauren ne pouvait se procurer ni l'un ni l'autre.

Andreas avait pensé à tout, elle s'en rendait compte à présent. Elle n'avait pas songé une seconde qu'elle pourrait se trouver bloquée ici. Elle aurait pourtant dû prévoir cette situation. Là aussi, son subconscient l'avait trahie. Tout au fond d'elle-même, elle n'avait pas voulu voir vraiment le problème.

Le bruit d'un moteur la surprit tellement qu'elle resta une seconde clouée sur place par la panique. Puis elle se jeta précipitamment dans les fourrés qui bordaient le chemin et aperçut le nuage de poussière soulevé par un véhicule qui venait dans sa direction.

Il arrivait vite, très vite. Le conducteur risquait de ne pas la voir et de la frôler sur cette voie étroite. Elle tenta d'escalader un rocher mais, perdant l'équilibre, elle retomba en arrière avec un cri. Presque évanouie, elle crut s'être rompu les os.

Quelqu'un la souleva. Des mains habiles se promenèrent sur elle, cherchant une éventuelle blessure. Lorsqu'elle ouvrit les yeux, elle découvrit un visage bronzé, des cheveux très blonds et deux yeux bleus qui exprimaient l'inquiétude.

— Comment vous sentez-vous ?

L'homme était agenouillé auprès d'elle et il lui soutenait la tête.

— Je n'ai rien, fit-elle faiblement. Etes-vous anglais ?

L'homme acquiesça avec un sourire.

— Oui, et vous aussi, quelle coïncidence !

— Que faites-vous ici ?

— Je travaille, répondit-il.

Se rendant soudain compte qu'elle reposait dans ses bras, Lauren reprit des couleurs. Elle essaya de se redresser mais tout se mit à tourner autour d'elle.

— Ne bougez pas, conseilla-t-il d'une voix soucieuse, vous avez reçu un sacré choc.

Elle s'assit cependant, et laissa tomber sa tête en avant. Les bras noués autour de ses genoux, elle respira plusieurs fois lentement à fond.

L'homme attendait patiemment et, quand son vertige se calma, elle le regarda de nouveau.

— Ça va mieux maintenant ? questionna-t-il avec gentillesse.

— Oui, merci.

— J'ai cru avoir des visions quand vous êtes tombée devant ma voiture, déclara-t-il.

— Et moi donc ! Une voiture est bien la dernière chose que je m'attendais à rencontrer ici.

— Je m'en doute. Il n'y en a qu'une seule dans ce coin, celle des Keralides. Mais vous le savez sûrement aussi bien que moi.

Il considéra Lauren d'un air interrogateur.

— J'ai appris qu'Andreas Keralides était là. Vous êtes son infirmière, je suppose ?

Stupéfaite, Lauren répliqua par réflexe.

— Son infirmière ? Non.

Les yeux bleus de l'Anglais s'agrandirent d'étonnement.

— Non, mais vous résidez pourtant à la villa, je ne vois pas où vous pourriez habiter autrement.

Il était sur le point de poser une nouvelle question, mais il se ravisa.

— Je vous demande pardon, je ne voulais pas être indiscret.

L'homme n'avait pas besoin d'en dire plus. Lauren suivait sans mal le cheminement de ses pensées. Il croyait avoir affaire à l'une des maîtresses d'Andreas.

Et sans nul doute, celui-ci en aurait emmené une si Lauren n'était pas venue avec lui. Cette simple idée la rendit folle de jalousie.

Elle se mit debout, la colère lui donnant des forces, et il la soutint un instant, voulant s'assurer qu'elle avait bien retrouvé l'équilibre.

— Je vais vous raccompagner jusqu'à la villa, proposa-t-il. C'est bien là que vous alliez, n'est-ce pas ?

— Oui, fit-elle, et elle monta dans le véhicule dont l'homme lui ouvrit la portière.

Ses yeux bleus la détaillaient avec un intérêt non dissimulé.

— Il serait peut-être temps de faire les présentations ! lança-t-il. Je m'appelle John Farrant.

— Et moi, Lauren Grey.

— Lauren ! C'est un prénom qui vous va bien.

Il mit le contact et la voiture démarra bruyamment.

— Qu'êtes-vous venu faire sur cette île ? s'enquit Lauren.

— Je suis sociologue, annonça-t-il en épiant sa réaction.

Elle ne put masquer sa surprise.

Avec un air amusé, il s'écria :

— Mais pourquoi ce terme provoque-t-il toujours un effet aussi désastreux sur les gens ? Qu'y a-t-il de si bizarre à étudier l'humanité ?

— Vous observez les habitants de l'île ?

— J'effectue un tour des îles grecques, expliqua-t-il, pour comparer ensuite leurs diverses organisations sociales. Je prépare une thèse sur les populations isolées.

— Cela me semble très intéressant.

— C'est passionnant ! renchérit-il, l'enthousiasme perçant dans son intonation.

— Où logez-vous ? demanda-t-elle.

Elle l'imaginait mal chez les habitants de l'île. Quel accueil pouvaient-ils réserver à un sociologue ?

— Je demeure à la villa, répondit-il, la plongeant dans une profonde perplexité.

— Mais je ne vous y ai jamais vu !

— Parce que j'étais absent ces derniers jours. Je suis allé voir Dimitri, le fils de Spiro, dans les montagnes. J'ai analysé son mode de vie. C'est un homme chaleureux. Nous nous sommes très bien entendus.

Ni Helen, ni Spiro, n'avaient parlé de ce sociologue, songea Lauren.

— Andreas est-il au courant de votre présence à la villa ? s'enquit-elle.

John Farrant lui décocha un coup d'œil rapide mais pénétrant.

— J'ai obtenu son accord il y a plusieurs mois déjà. D'ailleurs, ce véhicule lui appartient. Il me l'a prêté. Vous ne pensez tout de même pas que je me serais installé dans sa maison sans sa permission ?

— Bien sûr que non, admit-elle sur un ton d'excuse. Pardonnez mon étonnement mais personne ne m'ayant avertie, j'ignorais qu'il y avait un étranger sur l'île. Combien de temps comptez-vous rester ?

— Je repars dans deux jours.

Soudain, cette phrase suscita une idée et un espoir dans l'esprit de Lauren.

— Comment partez-vous ? se renseigna-t-elle, l'air apparemment indifférent.

— Par bateau, pour me rendre sur une autre île, répliqua-t-il. Mon itinéraire est prévu depuis un an. Ce voyage a exigé une grande organisation.

Le plus naturellement du monde, la jeune femme continua à le questionner :

— Vous faites-vous conduire par un pêcheur ?

Il secoua la tête.

— Non, j'ai un ami qui est fou de la mer. Il vient me chercher et il me dépose à ma prochaine étape. Nous voguons ainsi d'île en île. Pendant que je travaille, il se promène sur son bateau.

— Est-il anglais lui aussi ?

Ce point revêtait une importance capitale pour Lauren. S'il s'agissait d'un Grec, il hésiterait à aller contre la volonté d'Andreas Keralides.

— Plus ou moins, fit John Farrant en riant.

— Qu'est-ce que cela signifie ?

— Il possède la nationalité anglaise, je crois, mais il y a bien longtemps qu'il n'a pas mis les pieds dans son pays. Je l'ai rencontré en Turquie. C'est une sorte d'aventurier. Il travaille de temps à autre pour gagner un peu d'argent, puis il part sur son bateau. La mer est son seul amour.

Lauren prit une grande inspiration et lança :

— Pensez-vous qu'il accepterait de prendre un passager ?

John Farrant se tourna vers elle, les sourcils relevés en signe d'interrogation.

— Vous ?

— Oui, moi, avoua-t-elle tandis que la villa apparaissait devant eux, son long toit brillant sous le soleil hivernal. Je veux quitter l'île.

— Keralides est-il au courant ?

— Ne lui en parlez surtout pas ! supplia-t-elle. Il ne doit rien savoir, mais il faut que je m'en aille.

Un profond désespoir altéra sa voix et John Farrant siffla entre ses dents.

— Je vois. Comme tout le monde, je connais d'ailleurs la réputation d'Andreas Keralides. Mais pourquoi l'avez-vous accompagné jusqu'ici si vous tenez si peu à sa compagnie ?

— J'ai dû perdre la tête, déclara-t-elle d'une façon très convaincante. M'aiderez-vous ?

— Naturellement, accorda John Farrant sans l'ombre d'une hésitation. N'emportez toutefois pas trop de bagages, le bateau n'est pas grand. Ne prenez qu'une petite valise. Et puis il faudra que vous nous donniez un coup de main. Savez-vous faire la cuisine ?

— Oui, répondit-elle, infiniment soulagée. Merci... Merci ! Vous ne pouvez pas savoir combien je vous suis reconnaissante.

John Farrant lui décocha un sourire malicieux.

— La prochaine fois, vous ne vous engagerez pas à la légère dans n'importe quelle aventure. Votre mère aurait dû vous mettre en garde contre des hommes comme Keralides.

— Ma mère est morte lorsque j'étais enfant, répliqua-t-elle en regrettant que personne n'eût mieux veillé sur son éducation.

John Farrant l'enveloppa d'un regard plein de compassion.

— Je suis désolé, pardonnez-moi.

Il plaisait à Lauren. Elle le jugeait sympathique et sentait qu'elle pouvait lui faire confiance. Il semblait la trouver très à son goût, mais ses manières franches et directes excluaient tout danger. Elle n'aurait pas d'ennuis avec lui, elle en était sûre.

Ils avaient atteint la villa et la voiture s'arrêta devant l'entrée principale. Lauren en descendit et secoua sa jupe couverte de poussière. Helen apparut sur le seuil et les considéra tous les deux d'un air impassible. John Farrant se dirigea vers elle en arborant une expression amicale.

— Me voici de retour ! Dimitri et vos petits-enfants vous embrassent.

A ces mots, le visage d'Helen s'éclaira à peine et ses yeux noirs se posèrent de nouveau avec insistance sur Lauren.

— Où étiez-vous partie ? s'enquit-elle. Nous nous sommes inquiétés. Vous êtes restée absente des heures.

— J'avais envie d'une longue promenade, répondit Lauren, immobile aux côtés de John Farrant.

— Il est risqué de s'éloigner de la villa, Madame Keralides, affirma Helen en l'appelant exprès ainsi devant le sociologue.

Lauren le vit tressaillir imperceptiblement et folle de colère, elle déclara sur un ton glacial :

— Je ne suis pas Mme Keralides.

Elle fixa Helen avec une expression de défi.

Une voix ironique s'éleva soudain derrière la domestique et Lauren sursauta en apercevant Andreas dans le hall.

— Que va penser, M. Farrant, Lauren ? Tu dis des sottises, ma chérie, j'ai nos photographies de mariage pour prouver qui tu es.

John Farrant était devenu écarlate et ses traits exprimaient une fureur contenue. Abattue, Lauren comprit au premier coup d'œil ce qu'il pensait. Il croyait qu'elle lui avait menti et il lui en voulait. Se passant la main sur la nuque, il annonça brutalement :

— Excusez-moi, je vais prendre une douche.

Tandis qu'il montait l'escalier, Lauren se tourna vers Andreas. Helen s'était discrètement éclipsée, les laissant seuls.

— Je te hais ! cria-t-elle.

— Vraiment ?

Andreas arborait une expression démoniaque en cet instant.

— Eh bien apprends que tes jolis sentiments ne sont rien en comparaison des miens !

6

Un moment bouche bée, Lauren dévisagea son ex-mari en essayant de comprendre ce qu'elle venait d'entendre. Un sourire mauvais sur les lèvres, il ajouta :

— Tu ne sais plus quoi dire, n'est-ce pas ?

— Tu me hais aussi ? lança-t-elle enfin, consciente de ressentir à cette idée un mélange de douleur et de colère. C'est pourtant moi qui...

— Qui quoi ? fit-il, provocant. Ce ne fut qu'une question de temps. Tu t'es dépêchée de donner à Colby ce qu'il voulait.

Il s'approcha de Lauren et, oubliant l'endroit où ils se trouvaient, ne se souciant pas d'être écouté par d'autres, il la questionna avec une sorte de férocité :

— Quand, Lauren ? Dès la première nuit ? As-tu quitté ma maison pour courir dans ses bras ?

Le cœur de la jeune femme battait à tout rompre et elle se mit à trembler. La proximité d'Andreas lui faisait perdre tous ses moyens. Tant qu'il était resté couché, elle avait pu oublier la force de ce grand corps musclé. Mais à présent, il était debout et, bien que très pâle, il se dressait au-dessus d'elle, viril, redoutable, immense. Il avait retrouvé toute son arrogance et ses boucles noires ne parvenaient plus à lui conférer un air touchant. Lauren recula comme un enfant effrayé.

— Tu n'as pas le droit de me poser des questions et je ne te répondrai pas, rétorqua-t-elle, s'appliquant à paraître déterminée. Pourquoi as-tu menti à M. Farrant ? Je ne suis plus ta femme. Je lui dirai que nous avons divorcé.

Andreas esquissa un rictus sinistre. S'emparant d'un bras de Lauren, il y enfonça brutalement ses doigts.

— Non, tu ne le lui diras pas.
— Si !

Elle tenta de se dégager mais il resserra sans pitié sa pression.

— Non, tu ne le lui diras pas, car tu ne le reverras pas. Je vais le chasser de l'île. Il partira dès ce soir.

— Tu n'oseras pas ! s'écria-t-elle.

Elle savait pourtant que rien ne l'en empêcherait. Il lui suffisait d'ordonner à un pêcheur d'emmener John Farrant sur une autre île et l'homme s'empresserait de lui obéir. John Farrant n'aurait même pas le temps de donner son avis. Andreas régnait en maître ici, tout le monde respectait ses désirs. Lauren rejeta sa tête blonde en arrière et leva vers son compagnon ses grands yeux verts brillants d'indignation.

— Pourquoi me priverais-je de ce plaisir ? lança-t-il. Je peux même faire davantage. Un seul mot de moi et John Farrant n'achèvera jamais sa thèse. Si je veux qu'il quitte la Grèce, il la quittera, compte sur moi. Il ne tardera pas à s'apercevoir qu'il n'est plus le bienvenu nulle part. Personne ne lui parlera plus, personne ne lui ouvrira plus sa porte. Il sera obligé de prendre le premier avion à destination de l'Angleterre.

— Tu es un monstre ! s'exclama Lauren d'une voix vibrante de haine.

Il lui broya volontairement le bras pour la punir de ces paroles. Ne la lâchant toujours pas et étudiant son visage furieux avec un profond mépris, il répliqua :

— Je peux me montrer encore bien plus monstrueux. Songes-y la prochaine fois que tu trouveras une idée géniale pour m'échapper, Lauren !

Elle rougit violemment.

— Je ne comprends pas ce que tu racontes.

— Oh si, tu comprends. Je ne suis pas si stupide. Dès l'instant où tu as rencontré Farrant, tu as vu en lui ton sauveur, inutile de le nier.

Il éclata d'un rire cynique.

— Essaye un peu de partir avec lui. Il ne me faudra pas plus de deux minutes pour te faire descendre du bateau.

— Tu ne peux pas me garder ici contre mon gré ! protesta-t-elle, tout en sachant hélas qu'il pouvait tout se permettre.

— Contre ton gré ?

Une cruelle ironie pétilla au fond de ses yeux noirs. De sa main libre, il caressa la gorge de la jeune femme, éveillant la peau tiède sous ses longs doigts.

— Nous verrons ce que tu veux exactement, Lauren !

— Non, murmura-t-elle, mais sa respiration s'accélérait déjà et Andreas approcha son visage.

Il lui renversa la tête en arrière d'une sauvage pression de sa bouche sur la sienne. Elle se tordit entre ses bras et tenta de le repousser, mais restait impuissante devant une telle force. D'ailleurs il était trop tard, un changement s'était produit en elle, un barrage élevé depuis cinq ans venait de se rompre et des émotions contenues depuis trop longtemps déferlèrent de nouveau en elle. La sentant s'alanguir, Andrea passa de la brutalité à la persuasion. Les mains de Lauren se nouèrent d'elles-mêmes autour de sa nuque et son corps, animé d'une volonté propre, se pressa contre celui de son ex-mari. Elle s'entendit gémir.

— Oh, mon Dieu, Lauren ! chuchota-t-il fiévreusement tandis que ses doigts caressants couraient le long de son dos.

Un bruit de pas les sépara subitement. Ils s'écartèrent l'un de l'autre le visage en feu, le regard égaré. Pendant ces quelques instants, ils avaient tout oublié pour s'abandonner aux exigences impérieuses de leur désir.

John Farrant les considérait d'un air gêné.

— Oh pardon, excusez-moi !

Andrea se ressaisit le premier. Il s'avança vers lui avec un sourire aimable mais froid.

— Monsieur Farrant, venez donc prendre un verre. Helen doit être en train de préparer le repas.

— Merci.

John Farrant observait Lauren à la dérobée. Il était probablement persuadé qu'elle l'avait stupidement mêlé à une querelle de ménage, le plaçant dans une situation embarrassante par rapport à son hôte.

— Je vais me changer, annonça-t-elle en se dirigeant à la hâte vers l'escalier.

— Vas-y, ma chérie, fit Andreas, se moquant presque ouvertement d'elle.

Elle se précipita dans sa chambre, prit une douche, et enfila une robe de soie crème, largement décolletée, dont les amples manches flottaient souplement autour de ses bras à chaque mouvement. L'étoffe épousait son corps, mettant en valeur chaque courbe. Elle noua à son cou un collier que lui avait offert Philip, six fines chaînes en or qui brillaient sous la lumière. D'Andreas, elle avait reçu des bijoux magnifiques, mais ils étaient restés à Londres.

Elle s'étudia dans la glace d'un œil critique, s'irritant de la rougeur de ses joues et de l'éclat de son regard. Comment avait-elle pu répondre si passionnément au baiser d'Andreas ?

Le trouble persistait au fond d'elle-même. Elle ne pouvait pas se mentir sur le désir qui avait déferlé sur elle comme un raz de marée. Elle avait voulu demeurer insensible à Andreas et, d'un simple baiser, il avait de nouveau affirmé son pouvoir sur elle. Il en avait toujours été ainsi. Chaque fois qu'il la prenait dans ses bras, un délire de sensualité s'emparait d'elle...

Quel but poursuivait-il exactement ? Pourquoi l'avait-il conduite dans le piège de cette île ?

Elle connaissait au moins l'un de ses motifs. Elle se l'avoua en frissonnant. Quand la passion l'avait poussée contre lui, elle avait entendu son cœur battre à un rythme aussi précipité que le sien. Il avait partagé son émoi.

Mais, songea-t-elle ensuite, Andreas se serait enflammé ainsi avec n'importe quelle femme séduisante. Il s'agissait d'une simple réaction physique. Allait-elle lui permettre de se servir d'elle uniquement pour satisfaire ses appétits masculins ?

Il ne manquait pas d'audace. L'échec de leur mariage lui incombait, mais il semblait en rejeter la responsabilité sur Lauren. Son attitude indiquait qu'il la jugeait coupable. Lydia avait d'ailleurs abondé dans ce sens. Elle s'était attendrie sur les souffrances de son fils, n'accordant pas beaucoup de compassion à Lauren. La jeune femme redressa orgueilleusement sa tête blonde et, gagnant le salon, elle soutint le regard insolent d'Andreas avec un froid mépris. Pour tout résultat, il lui décocha un sourire ironique.

Après lui avoir tendu un apéritif, il se tourna de nouveau vers John Farrant pour déclarer sur un ton courtois :

— Ma femme est une artiste de talent, vous savez.

John Farrant la regarda très brièvement et détacha ses yeux d'elle.

— Ah, vraiment ? Etes-vous professionnelle ou...

La question irrita Lauren.

— Je suis tout ce qu'il y a de plus professionnelle, monsieur Farrant, répliqua-t-elle sèchement.

— Lauren aime qu'on la prenne au sérieux, n'est-ce

pas, *eros mou*? lança Andreas d'une voix intolérable-
ment taquine.

— Oui, fit-elle en lui adressant un coup d'œil meur-
trier.

— Je suis sûr que vous réalisez de magnifiques
tableaux, glissa maladroitement John Farrant pour
essayer de dissiper la tension qui opposait apparemment ses hôtes. Avez-vous fait des études artistiques?

— Oui, fit-elle encore et, surmontant difficilement
son impatience, elle lui donna un rapide aperçu de la
formation qu'elle avait suivie.

— Mon Dieu! s'exclama soudain John Farrant en
écarquillant les yeux. Etes-vous...

Il s'empourpra soudain et hésita un instant en
considérant Andreas.

— Vous m'avez dit que votre nom de jeune fille est
Grey, poursuivit-il d'un air embarrassé. Seriez-vous de
la famille de Jimmy Grey, le célèbre peintre?

— C'est mon père, déclara-t-elle en observant son
ex-mari.

Il était à coup sûr en train de conclure à juste titre
qu'elle s'était présentée sous le nom de Lauren Grey au
sociologue.

— Il est extraordinaire, affirma ce dernier, puis il
éclata de rire. Mais je ne vous l'apprends pas, vous le
savez certainement encore mieux que moi.

— Oui, mon père est un peintre merveilleux,
accorda-t-elle. Je suis très fière de lui.

— Ma femme est encore meilleure que son père,
déclara tout à coup Andreas.

Elle crut avoir mal entendu. Déjà il se levait en
ajoutant à l'intention de John Ferrant :

— Venez, je vais vous montrer.

Il marcha jusqu'à la porte avec aisance, malgré une
certaine lenteur. Lauren constata que ses forces lui
revenaient.

Perplexe et surprise, elle suivit les deux hommes

après une seconde d'hésitation. Andreas ouvrit la porte d'une pièce où elle n'était pas encore entrée depuis son arrivée. Il s'agissait d'un salon qui servait exclusivement à Lydia pour recevoir des visites. Ses murs blancs et sa moquette d'un bleu profond lui conférait un dépouillement typiquement méditerranéen. Les nombreuses toiles que Lauren y découvrit avec stupeur n'en étaient que davantage mises en valeur.

Interdite, la jeune femme contempla ses tableaux sans pouvoir prononcer un mot. Elle les reconnut les uns après les autres. Les œuvres réunies ici dataient des trois dernières années. Elle n'avait jamais soupçonné qu'Andreas en était l'acquéreur. Philip le savait-il? Avait-il décidé de ne pas l'en avertir?

John Farrant faisait lentement le tour de la pièce. Pendant ce temps, Lauren interrogea silencieusement le fier profil de son ex-mari. Pourquoi? Pourquoi avait-il acheté ces toiles? Et pourquoi les avait-il accrochées si soigneusement ici?

La plupart représentaient des paysages. Les uns, peints dans le Midi de la France en recréaient le ciel et la mer éclatants de lumière, les autres reproduisaient au contraire l'ambiance sombre et tourmentée d'un petit village tout à fait isolé où Lauren avait séjourné à l'extrême nord de l'Angleterre. Derrière les violents contrastes de ces régions, on reconnaissait le pinceau du même peintre et une seule vision attentive de la nature.

— C'est intéressant de les voir regroupés ainsi, n'est-ce pas?

Andreas semblait s'adresser à John Farrant mais, en réalité, la question visait Lauren.

Le sociologue la considéra avec admiration.

— Votre mari a raison, vous possédez un immense talent. Votre père doit être au moins aussi fier de vous que vous de lui.

— Je vous remercie, fit-elle, rougissant légèrement.

Ces compliments ne suffisaient pas à lui faire oublier son étonnement. Pourquoi Andreas avait-il acheté ses tableaux ? Une hypothèse la fit soudain tressaillir. Avait-il voulu jouer au protecteur ? Lauren avait été très encouragée par la facilité avec laquelle ses toiles s'étaient vendues dès le début. Ce succès rapide l'avait considérablement stimulée. Elle s'était félicitée de parvenir à s'affirmer seule, sans aide. Mais si Andreas se trouvait à l'origine de sa réussite, celle-ci prenait alors un goût terriblement amer.

— Le déjeuner ! annonça subitement Helen qui se tenait dans l'encadrement de la porte.

Elle ajouta en grec qu'Andreas ne devait pas rester debout si longtemps et qu'il le regretterait le lendemain.

— Je ne te demande pas ton avis, rétorqua-t-il brutalement, mais il souriait, touché de la sollicitude de la domestique à son égard.

— Tu devrais prendre ton repas au lit, suggéra Lauren. Je suis surprise que l'infirmière t'ait permis de te lever.

— Permis ! répéta-t-il d'un air indigné. Je n'ai pas d'ordre à recevoir d'elle.

Il changea d'expression d'une seconde à l'autre et enchaîna sur un ton d'intimité complice :

— La seule femme qui n'a qu'un mot à dire pour me conduire au lit, c'est toi, *eros mou*.

Lauren eut envie de le gifler. Comment osait-il lui parler ainsi devant témoins ? Tandis qu'Helen arborait un large sourire, John Farrant était devenu écarlate jusqu'à la base du cou.

— Alors je vais dire ce mot maintenant, déclara-t-elle, se servant de son propre humour contre lui. Va te coucher, Andreas.

— Seul ? lança-t-il, un sourcil relevé d'une manière ironique, observant avec satisfaction la confusion qui la gagnait.

Elle se détourna, furieuse, tremblante, et se dirigea vers la porte sans répondre. Elle préférait ne rien dire de peur de déclencher une scène violente en présence du sociologue et d'Helen. Andreas faisait preuve d'une insolence incroyable. Quelle honte !

Il l'avait trompée avec Martine, il lui avait infligé une souffrance déchirante et à présent, il plaisantait et s'amusait à ses dépens comme si le passé ne comptait plus. Des larmes perlaient au bord de ses paupières. Au prix d'un immense effort, elle parvint à refouler la vague de désespoir que tant de cruauté avait soulevée en elle.

Le déjeuner constitua une pénible épreuve. Très mal à l'aise, John Farrant inspira de la pitié à Lauren. Les quelques mots qu'il risqua de temps à autre n'améliorèrent en rien le climat tendu.

Lauren crut pourtant de son devoir de l'aider à entretenir une conversation. Elle l'incita à parler de son travail, sachant qu'il s'expliquerait volontiers sur des activités qui le passionnaient. Il saisit immédiatement la perche qu'elle lui tendait et se lança dans un exposé détaillé. Se retrouvant sur un terrain familier, il ne tarda pas à se détendre et le repas se termina mieux qu'il n'avait commencé.

Observant toutefois Andreas à la dérobée, Lauren le trouva vraiment très pâle. Dès qu'ils quittèrent la table, elle lui dit avec insistance cette fois :

— Il faut que tu ailles te coucher. Tu as mauvaise mine tout à coup.

Il devait en effet se sentir fatigué car il haussa les épaules et prit congé de John Farrant sans protester. Mais il s'arrêta au pied de l'escalier et se tourna vers Lauren.

— Viens avec moi. Je voudrais que tu m'aides à monter, je n'arriverai pas tout seul en haut de ces marches.

Il s'appuya lourdement sur son épaule. Il semblait

respirer avec difficulté et de grands cernes soulignaient ses yeux.

— Mais pourquoi as-tu commis la folie de te lever ? protesta-t-elle quand il s'effondra sur son lit.

Les yeux fermés, mais conservant pourtant malgré son épuisement un sourire ironique, il déclara :

— Comme tu ne venais pas me voir, je suis allé à ta recherche.

Masquant de son mieux sa confusion, Lauren affirma :

— Tu ne sortiras plus de ta chambre aujourd'hui.

— Certainement, renchérit l'infirmière qui s'affairait autour de son malade. Si vous ne tenez pas compte de ce que je dis, monsieur Keralides, ma présence devient sans objet. Il vous faut du repos, c'est capital.

Andreas esquissa une grimace.

— Ne faites pas tant d'histoires, lança-t-il sur un ton péremptoire mais las.

Lauren gagna la porte, l'abandonnant aux soins de l'infirmière.

— Où vas-tu ? s'enquit-il.

Elle s'arrêta et se retourna.

— Je crois que j'ai besoin d'une sieste moi aussi. Ma longue promenade de ce matin m'a fatiguée.

— Aurais-tu vieilli, Lauren ? railla-t-il. Quelques pas et tu ne tiens plus debout !

— Exactement ! rétorqua-t-elle et, tandis qu'il éclatait de rire, elle se glissa hors de la pièce.

Elle était même plus épuisée qu'elle le pensait. A peine eut-elle le temps de poser sa tête sur l'oreiller qu'elle s'endormit. Les stores baissés plongeaient la chambre dans une douce pénombre.

Lorsqu'elle se réveilla, il y régnait une obscurité totale. Dehors, il faisait noir, un noir absolu comme il en existe seulement dans les lieux déserts où l'homme n'allume pas de lumières artificielles. L'esprit encore brumeux, Lauren pressa le commutateur de sa lampe de chevet et cligna des paupières.

Consultant sa montre, elle découvrit avec stupéfaction que sa petite sieste avait duré cinq heures. Helen n'avait sans doute pas osé la tirer de son sommeil pour le dîner.

Lauren regretta d'avoir manqué le repas. Elle avait faim. A la hâte, elle se recoiffa, laissant sur l'inspiration du moment ses cheveux libres sur ses épaules. Elle s'aspergea le visage d'eau fraîche, le sécha soigneusement et se maquilla. Une petite touche de bleu sur les yeux et de rose sur les lèvres suffisait à rehausser son charme.

Elle s'arrêta devant la chambre d'Andreas et tendit l'oreille. Dormait-il encore lui aussi, ou avait-il dîné comme d'habitude ? Aucun bruit ne la renseigna et, au moment où elle s'éloignait sur la pointe des pieds, la porte s'ouvrit derrière elle. Se retournant vivement, elle découvrit Andreas sur le seuil, vêtu d'un peignoir de soie noire.

— Je croyais que tu ne te réveillerais jamais ! lança-t-il.

— J'étais fatiguée.

— Tu étais roulée en boule comme une petite fille, déclara-t-il.

Elle rougit à la pensée d'avoir été observée par lui dans son sommeil. Il l'avait vue alors qu'elle était vulnérable, sans défense.

Elle en conçut une grande irritation et s'écria :

— Je t'interdis de pénétrer chez moi, Andreas !

Son expression gentiment taquine fit place à un air dur et implacable. Il la prit par le bras et la tira sans ménagement à l'intérieur de sa chambre.

— Lâche-moi ! ordonna-t-elle en se débattant.

— Helen t'a préparé un plateau avec un repas froid, annonça-t-il tranquillement.

— Je veux descendre manger.

— Tu mangeras quand je te le dirai.

— Cesse de me bousculer ! gronda-t-elle.

Il repoussa la porte du pied et appuya son large dos contre le panneau de bois.

— Assieds-toi et mange, commanda-t-il sèchement.

Le plateau se trouvait là, sur une table, recouvert d'un linge blanc. Lauren le retira et l'eau lui vint à la bouche à la vue des délicieux sandwiches préparés par Helen. Honteuse d'être si faible, elle s'installa cependant et dégusta un à un les triangles de pain grec à la consistance moelleuse. Andreas s'occupait du café dans une alcôve attenante à la pièce. Quand il l'apporta, Lauren déclara :

— Il est trop fort pour toi.

— Je suis assez grand pour décider moi-même de ce qui me convient et de ce qui ne me convient pas, répliqua-t-il en fronçant les sourcils.

Il avait toujours bu plusieurs tasses de café noir par jour en temps normal, mais il se remettait tout juste d'un grave accident aujourd'hui.

— C'est mauvais pour tes nerfs, insista Lauren.

— Il y a bien d'autres choses qui sont mauvaises pour mes nerfs ! répliqua-t-il du tac au tac.

— Qu'est-ce que tu insinues ? rétorqua-t-elle avec colère. Comment oses-tu me parler sur ce ton après ce que tu as fait ?

— Qu'ai-je donc fait ?

Lauren ne pouvait croire à une telle impudence.

— Tu sais très bien de quoi je parle, fit-elle quand elle retrouva sa voix.

— Quoi ? s'enquit-il, le visage dur.

Elle se retint difficilement de lui jeter son café brûlant à la figure.

— Aurais-tu à nouveau perdu la mémoire ? ironisa-t-elle.

— Ma mémoire est excellente. Et la tienne ?

— Je me souviens de chaque détail, affirma-t-elle,

ses yeux verts étincelant de fureur. Je t'ai vu, ne l'oublie pas. La scène que j'ai surprise est gravée en moi pour le restant de mes jours.

— Je veux bien le croire, avoua-t-il en enfonçant nerveusement les mains dans les poches de son peignoir.

C'était la première fois qu'ils abordaient ensemble cette affaire. Lauren n'avait plus jamais discuté avec Andreas depuis le moment où elle l'avait trouvé dans leur chambre avec Martine. Elle levait à présent sur lui un regard chargé de douleur et de haine.

— Comment peux-tu prendre cet événement tellement à la légère? T'attendais-tu à ce que j'accepte la situation sans réagir? Qu'aurais-tu fait à ma place? Si tu m'avais surprise dans les bras d'un autre homme, serais-tu calmement ressorti de la pièce en murmurant : « Excusez-moi, j'espère que je ne vous ai pas dérangés. »?

La violence qui se peignit sur le visage d'Andreas constitua une réponse suffisamment claire.

— Ce n'est pas parce que je ne t'ai pas vue avec Colby que les choses ont été plus faciles pour moi, dit-il d'un air menaçant.

— Je n'ai jamais...

Elle s'interrompit, hésitant. Elle avait volontairement induit Andreas en erreur. Aussi longtemps qu'il resterait persuadé qu'elle était la maîtresse de Philip, elle se sentirait un peu moins humiliée. C'était une petite revanche, un peu de baume sur son orgueil blessé.

Andreas la scrutait avec une intensité effrayante.

— Penses-tu que je vais te croire? Tu n'as pas cessé de le voir durant toutes ces années.

— Mes rapports avec Philip ne te concernent pas le moins du monde, décréta-t-elle résolument. D'ailleurs je vais l'épouser. Tu sais que nous sommes fiancés?

Andreas serra rageusement les poings.

— Oh oui, je le sais! J'ai lu l'annonce de vos fiançailles dans le journal et je ne faisais qu'y penser dans la voiture en revenant de Heathrow.

Lauren porta la main à sa bouche pour étouffer un gémissement d'horreur.

— Le jour de ton accident?

— Oui, exactement, répondit-il d'une voix terrible.

Lauren lutta pour se ressaisir au plus vite.

— Tu vas me dire que je suis responsable de ce qui t'est arrivé, je suppose?

Il haussa les épaules.

— Non, c'est moi le coupable. J'ai été assez stupide pour m'émouvoir de ces fiançailles. Au lieu de ressasser cette nouvelle, j'aurais mieux fait de voir le camion à temps.

— Pour une fois, ton extraordinaire pouvoir de concentration t'a trahi! lança-t-elle sur un ton ironique. Je croyais pourtant que rien ne pouvait te troubler!

Elle regretta aussitôt ses paroles. Elle était allée trop loin. Elle essaya de se lever mais déjà, Andreas s'emparait d'elle, refermant sur elle ses doigts d'acier. Lorsqu'il l'embrassa, elle sut qu'elle attendait ce baiser depuis son réveil. Il n'était même plus question pour elle de feindre la dignité. Elle désirait trop sentir ce corps d'homme contre le sien, céder à la pression qui la jetait sur le lit. Elle ne tenta pas une seconde de se débattre. Ils s'étreignirent follement, la passion les enflammant tous deux. Lauren avait appris les gestes de l'amour avec Andreas et en cet instant, elle ne songeait plus qu'à les redécouvrir avec lui. Elle glissa ses mains sous la soie noire pour le caresser, frémissant de désir au contact de sa peau brûlante.

Andreas continuait à l'embrasser, puis il descendit jusqu'à sa gorge où une artère palpitait furieusement, trahissant toute l'intensité de son excitation.

— Dis-moi, murmura-t-il alors, dis-moi... Colby est-il ton amant?

La question la dégrisa instantanément. Elle se fit horreur. Comment avait-elle pu oublier dans un délire de sensualité le mal qu'Andreas lui avait fait ?

— Lâche-moi ! gémit-elle en essayant de le repousser.

— Réponds-moi d'abord.

Elle plongea son regard droit dans le sien et cria presque :

— Eh bien, oui ! Oui !

Alors il la gifla, avec une violence telle qu'elle resta un moment comme assommée.

— Tu es un monstre !

Il la frappa encore et les yeux de Lauren s'emplirent de larmes. Elle se mit à trembler, terrifiée soudain de la jalousie féroce qu'elle découvrait en lui. Il devenait un sombre étranger, un barbare ennemi qui pouvait lui infliger n'importe quel châtiment.

Elle ne bougea plus mais resta allongée sous lui comme un animal paralysé par la peur. Il respirait bruyamment en l'observant, comme s'il se demandait ce qu'il allait lui faire à présent.

— Je n'ai jamais eu l'intention de te revoir, déclara-t-il enfin sur un ton étrangement bouleversé.

— Moi non plus, murmura-t-elle. J'ai prié le ciel de ne jamais te retrouver sur mon chemin.

Elle détourna les yeux pour ne plus voir sa poitrine nue dans l'échancrure du peignoir. Même dans cette situation, l'envie d'y poser ses lèvres se révélait plus forte que tout.

— L'un comme l'autre, nous nous sommes trop fait souffrir pour nous pardonner, affirma-t-il sombrement.

Le sang de Lauren ne fit qu'un tour.

— Je t'ai fait souffrir, moi ! C'est toi qui a commis un adultère !

Les yeux noirs semblèrent la transpercer tant la violence en aiguisait l'éclat.

— Tu viens juste de reconnaître que tu es sortie de ma maison pour aller retrouver Colby.

Elle soupira de lassitude.

— Je me suis réfugiée chez mon père et Philip n'y était pas.

— Mais tu l'as vu quand même cette nuit-là.

— Non.

— Ne me mens pas ! s'écria-t-il, ne contrôlant plus de nouveau sa colère. Je le sais, Lauren. Tu es devenue la maîtresse de Colby cette nuit-là.

— Non ! soutint-elle.

Andreas poussa un horrible juron.

— Colby lui-même me l'a dit !

Lauren tressaillit violemment sous l'effet de la surprise.

— Qu'est-ce que tu racontes ? Quand Philip t'a-t-il dit que...

— Je suis venu chez ton père le lendemain, expliqua-t-il en s'écartant brutalement d'elle.

Il descendit du lit et traversa la pièce, s'arrêtant devant une étagère couverte de livres qu'il considéra distraitement.

— C'est à ce moment-là que Colby m'a parlé.

Lauren se glaça au souvenir de la querelle qu'elle avait entendue de sa chambre. Les éclats de voix étaient montés jusqu'à elle. Philip avait dû mentir à Andreas. Pourquoi ? Il méritait la reconnaissance de Lauren, évidemment. Il avait voulu venger son honneur en rendant à Andreas la monnaie de sa pièce. Il avait été à juste titre scandalisé par la conduite d'Andreas avec Martine. Une grande émotion s'était emparée de lui quand il avait écouté Lauren lui décrire la scène à travers ses sanglots. Il avait menti à Andreas pour elle.

— J'aurais pu citer Colby à notre divorce, expliqua celui-ci, mais je ne voulais pas alimenter les articles des journalistes.

— Ils s'en sont suffisamment donné à cœur joie quand tu as épousé Martine, d'autant plus qu'elle était sur le point d'accoucher de ton enfant, glissa perfidement Lauren.

Andreas serra les mâchoires. Il revint comme un fou vers le lit et abaissa son regard furieux sur Lauren.

— Colby ne m'a pas dit quand...

Il s'interrompit en pinçant les lèvres, puis formula son idée autrement :

— Es-tu allée le retrouver après m'avoir vu ou...?

— Je n'ai pas l'intention de discuter, coupa Lauren en fermant les yeux.

Andreas se pencha, la prit aux épaules, la souleva et la secoua.

— Tu vas me répondre ! Ne sens-tu pas que c'est très important pour moi ?

Elle le considéra d'un air méprisant.

— C'est ta vanité qui te tourmente. Tu veux savoir si je me suis donnée à Philip parce que je t'ai surpris avec Martine. Tu veux être sûr que je ne t'ai pas trompé la première ! Ai-je bien deviné ?

— Garce ! marmonna-t-il, frémissant de colère, lui imprimant sans ménagement ses doigts dans la chair.

Il lui faisait peur mais Lauren rassembla tout son courage pour ajouter avec une terrible ironie :

— Evidemment, moi je n'ai pas d'enfant pour te permettre de dater l'événement !

Andreas blêmit. Son regard se durcit, se réduisant à deux points noirs où se concentrait la colère.

— Mon Dieu, fit-il d'une voix rauque, si je ne me retenais pas, je te tuerais !

— Me tuer, moi ?

Toujours aussi digne et froide, Lauren haussa dédaigneusement les sourcils.

— Tu veux me tuer parce que tu as commis un adultère ? Etrange réaction, Andreas !

Elle essaya de le repousser des deux mains. Toujours profondément méprisante, elle ajouta :

— Assez de sottises, veux-tu ? Puis-je m'en aller ? Cette conversation est assommante.

Elle faisait preuve d'une telle maîtrise qu'Andreas la fixa quelques instants d'un air incrédule en respirant bruyamment. Puis un sourire s'épanouit sur son visage, un sourire redoutable qui balaya en une seconde le calme de façade de Lauren. Elle se mit à trembler, songeant soudain qu'elle se trouvait seule avec lui dans sa chambre. Et même si elle criait, personne ne viendrait à son secours.

— Oh non, *eros mou*, dit-il doucement, très doucement, nous ne sommes pas encore quittes tous les deux.

Changeant de couleur, elle laissa tomber son masque d'orgueil devenu inutile.

— Si tu me touches, tu me feras horreur, avertit-elle d'une petite voix qui trahissait son affolement.

Il éclata de rire et elle découvrit dans son regard toute l'intensité de son désir. Elle se figea de terreur. Jamais dans le passé il ne l'avait convoitée avec cette force. Elle n'avait jamais vu cette expression chez aucun homme. Durant leur mariage, elle avait appris à déchiffrer les signes de la passion sur le visage d'Andreas, mais des signes d'amour les accompagnaient. Hélas, en cet instant, ces traits ne portaient pas la moindre marque de chaleur ou de tendresse. D'instinct, Lauren sut qu'il s'agissait d'un simple appétit physique et, à cette pensée, un violent dégoût l'envahit.

— Non, je t'en supplie ! gémit-elle.

Les mains d'Andreas se promenaient lentement sur elle et, paralysée, le cœur battant à tout rompre, elle ne bougea pas.

— Je voudrais savoir ce que Colby t'a appris en cinq ans, murmura-t-il tranquillement.

Elle retrouva trop tard l'énergie de se débattre. Elle

eut beau se tordre, mordre et griffer, Andreas la tenait bien.

— Je préfère mourir ! s'écria-t-elle.

— Tu pourras mourir... après ! railla-t-il, la repoussant invinciblement sur le lit, lui immobilisant les bras et suivant avec amusement ses efforts pour se libérer.

Abandonnant cette lutte inégale, elle cessa soudain de s'agiter et lança en ultime protestation :

— Je te hais !

— Tant mieux, c'est parfait ! approuva-t-il ironiquement.

Puis il se pencha et commença à lui couvrir la gorge de baisers. Il procédait sans hâte, descendant lentement, très lentement le long de la peau tiède, arrachant à Lauren d'involontaires soupirs. Et ensuite, d'un geste désinvolte, il tira sur l'étoffe de sa robe, la déchirant jusqu'à la taille. La soie céda avec un bruit sec et Lauren murmura par réflexe :

— Cette belle robe est perdue.

Sa remarque fit sourire Andreas.

— Je t'en achèterai une autre, chuchota-t-il en continuant à enflammer son corps. Mais que cela en vaille la peine, *eros mou !*

Elle ne voulait pas éprouver les sensations qui affluaient en elle. Elle lutta contre elles comme un instant plus tôt contre les mains d'Andreas. Mais ses caresses l'embrasaient à présent, avec la passion de cinq longues années de séparation. Il la redécouvrait et elle ferma les yeux. Elle essaya de se persuader qu'il s'agissait d'un rêve comme ceux qu'elle avait si souvent faits.

Andreas revint enfin vers sa bouche et il l'obligea à sortir de sa dernière retraite, détruisant l'illusion du rêve, prouvant à Lauren qu'elle était bien réveillée. Ne pouvant plus résister, elle se laissa emporter sur la même vague de désir que lui.

Plus rien n'avait d'importance, s'avoua-t-elle. D'instant en instant, Andreas la conduisait plus loin dans un délire fiévreux. Elle s'entendit gémir, elle se sentit trembler, elle savait que cet extrême bonheur constituait aussi sa perte, mais elle ne s'en souciait guère.

Plus tard, elle se mépriserait, elle se haïrait, mais à présent rien d'autre ne comptait que ce corps retrouvé après une interminable attente. Toutes ses réticences et toute sa pudeur s'étaient envolées. Elle s'abandonna complètement et, pour la première fois depuis cinq ans, Andreas la posséda corps et âme.

7

Le lendemain, lorsqu'elle se réveilla, Lauren éprouvait une violente sensation de malaise. La veille, elle était restée un moment étendue auprès d'Andreas, puis le dégoût avait remplacé la passion, et elle s'était enfuie. Pendant des heures ensuite, elle avait tourné en rond dans sa propre chambre, tremblante, glacée, ne trouvant le sommeil qu'aux premières lueurs de l'aube.

Sa montre marquait dix heures. Elle dut accomplir un effort pour se lever et prendre une douche. Elle revêtit une robe blanche et opta pour un chignon que, dans son état de nervosité, elle dut recommencer plusieurs fois.

Helen l'accueillit d'un air absolument impassible lorsqu'elle descendit.

— Voulez-vous du café et des croissants?

— Oui, merci, fit Lauren en allant se poster devant la fenêtre.

Quand la domestique lui apporta son petit déjeuner, elle s'installa avec empressement à la table. Elle avait grand besoin de la chaleur et de la force d'un café noir. Elle fut en revanche incapable de toucher à la nourriture. Helen le constata avec une grimace.

— Andreas n'a rien mangé non plus, déclara-t-elle.

Lauren essaya de rester imperturbable, mais une soudaine rougeur la trahit.

— Il reste au lit aujourd'hui, ajouta Helen. Il n'a pas été raisonnable hier.

Cette fois, Lauren ne put s'empêcher d'éclater d'un rire hystérique. La domestique la considérait avec curiosité et il lui fallut quelques instants pour retrouver un calme apparent et continuer à boire comme si de rien n'était.

John Farrant apparut ensuite et la salua d'un poli :

— Bonjour, madame Keralides.

— Bonjour, répondit-elle en levant les yeux sur lui, puis en les détournant.

Elle éprouvait toujours une affreuse gêne en face du sociologue. Andreas avait réduit son plan d'évasion à néant et l'avait déconsidérée dans l'esprit de cet homme. En lui expliquant exactement la situation à présent, Lauren ne réussirait qu'à le rendre encore plus méfiant à son égard. Mieux valait se taire.

— Je pars aujourd'hui, annonça-t-il sur un ton étrange et l'embarras de Lauren s'accrut.

Andreas était sans doute à l'origine de ce départ avancé d'une journée.

— Eh bien, j'ai été heureuse de faire votre connaissance, affirma-t-elle dignement en se dirigeant vers la porte. Je vous souhaite bon voyage.

— La mer est calme aujourd'hui, affirma-t-il.

Il la fixait avec une insistance bizarre.

— Votre ami vient-il vous chercher ou partez-vous avec un pêcheur ?

— Votre mari a téléphoné à mon ami, expliqua-t-il, son regard bleu exprimant un franc amusement.

Il pensait sûrement qu'Andreas le chassait par jalousie, pour ôter à Lauren toute occasion de fuite.

Et pourtant, son départ n'importait plus maintenant. Andreas ne se souciait certainement plus de la garder prisonnière après ce qui s'était passé la veille. Lauren se retrouvait honteuse, accablée, anéantie après ces regrettables instants d'égarement, et Andreas subissait sans nul doute le même désenchantement.

— Bonne chance pour votre thèse, ajouta-t-elle aimablement.

— Merci, murmura John Farrant.

Ils échangèrent un sourire et elle quitta la pièce.

Elle longea une fois de plus le rivage, contemplant la mer argentée dans l'éclairage hivernal. Elle semblait immobile, calme comme un étang et, très loin à l'horizon, s'étendait une bande bleue lumineuse.

Au retour, elle croisa John Farrant en voiture, un sac à dos et un fourre-tout en toile posés sur le siège à côté de lui. Il se rendait au port où l'attendait son ami.

— Il est parti, déclara Helen sans dissimuler son contentement pendant que Lauren prenait seule son repas de midi.

La forte odeur des herbes aromatiques qui accompagnaient l'agneau l'incommodèrent, mais elle se força à manger un peu. Helen lui préparait des plats délicieux, elle l'aurait offensée en les boudant.

— Vous êtes une merveilleuse cuisinière ! lança-t-elle.

La domestique parut ravie et ses yeux noirs brillèrent de plaisir.

— Vous avez retrouvé l'appétit, constata-t-elle.

— Et Andreas ?

Lauren s'en voulut immédiatement d'avoir posé cette question, mais Helen lui répondait déjà en souriant :

— Il est en train de déjeuner aussi. Il a dormi toute la matinée. Qu'il était fatigué, le pauvre !

— Je m'en doute ! confirma Lauren avec rancune.

Elle regretta encore plus ces paroles-là. Helen éclata de rire et la jeune femme en conçut une vive irritation. Qu'était-elle en train de s'imaginer ?

Durant l'après-midi, Lauren dessina parmi les rochers. Elle prit bien soin d'éviter Andreas. Elle ne se sentait pas encore le courage de le revoir. De son côté, peut-être restait-il cloîtré dans sa chambre parce qu'il éprouvait un malaise analogue.

Quelle folie s'était emparée d'eux la veille ! La complexité de ses sentiments la dépassait. Pouvait-on aimer et haïr à la fois ? Désirer et mépriser en même temps ?

La douleur infligée par ces contradictions la poussa à fermer les yeux. Dans son esprit, le murmure régulier de la mer se transforma en un ricanement moqueur. « Je me fais horreur », songea-t-elle avec désespoir. Andreas était si facilement venu à bout de ses résistances... Elle avait simplement feint de lutter contre lui et il s'en était sûrement aperçu. Il lui avait suffi de quelques minutes pour soumettre Lauren. Ne possédait-elle donc ni fierté ni volonté ?

Andreas descendit pour le dîner. Lauren ne s'y attendait pas et son apparition lui causa une vive surprise. Installée sur un canapé recouvert de brocart, elle feuilletait un magazine. A son entrée, elle leva machinalement la tête et un cri lui échappa.

Il portait un complet sombre et une chemise blanche qui lui conféraient une allure très solennelle. Le salon sembla plus petit à la jeune femme après son arrivée. Il referma tranquillement la porte et la considéra avec une expression indéchiffrable.

Incapable de parler, elle soutint son regard, se bornant à le défier en silence.

Il lui décocha un curieux petit sourire.

— Tu ne dis rien ? Voilà qui est nouveau !

Cette insolence l'aida à retrouver la parole. Elle réagit comme un cheval sous la cravache :

— Que veux-tu que je dise ? Tu sais très bien ce que j'éprouve ! Le simple fait de te voir me rend malade !

Il prit un air pincé et cruel.

— Je n'ai pourtant pas eu cette impression hier.

De rage, elle s'enfonça les ongles dans la paume de la main. Ses yeux verts débordaient de mépris.

— Peut-être l'ignores-tu, mais les femmes peuvent elles aussi éprouver un simple désir physique pour un homme qu'elles détestent.

Cette réplique le mit hors de lui.

— Encore un mot et je t'étrangle !

— Comment ? Tu ne supportes pas d'entendre la vérité ! Nous nous sommes tous les deux comportés d'une manière bestiale, il faut voir les choses en face.

Choqué par ce cynisme, Andreas retint son souffle. Peu à peu, il parvint à dominer sa colère et enfin, après un lourd silence, il murmura sur un ton ironique :

— C'est vrai, je te désirais violemment, *eros mou.*

— Ne m'appelle pas ainsi ! s'écria-t-elle, encore plus blessée par son intonation moqueuse que par les termes eux-mêmes.

— *Eros mou,* mon amour, répéta-t-il exprès, se plaisant à la tourmenter.

Elle ferma les paupières pour ne pas pleurer.

— Je te hais, déclara-t-elle en appuyant bien chaque syllabe.

— Et quelle impression cela te fait-il de désirer quelqu'un que tu hais ? lança-t-il.

Sa voix avait résonné tout près de l'oreille de Lauren et elle ouvrit instantanément les yeux. Affolée, elle découvrit qu'Andreas s'était approché, se dressant immense et redoutable au-dessus d'elle, lui inspirant un sentiment de faiblesse et de vulnérabilité. La pièce si calme quelques instants plus tôt baignait dans une atmosphère tendue et électrique. Lauren se laissa retomber en arrière contre le dossier du canapé.

— C'est l'enfer, avoua-t-elle, mais c'est bientôt fini.

Andreas éclata de rire, révélant ses dents blanches.

— Crois-tu qu'on sorte si facilement de l'enfer ? Nous en reparlerons dans un mois.

— Un mois... murmura-t-elle faiblement.

Pour le coup, elle ne chercha plus à donner le change. Abattue, consternée, elle balbutia :

— Non... non, Andreas, ce n'est pas... possible ! Tu ne peux pas...

— Croyais-tu que j'allais te laisser partir ?

Il releva un sourcil en signe d'ironie. Son regard trahissait un amusement mêlé de colère.

— Laisse-moi partir, Andreas ! supplia-t-elle, ne se souciant plus de révéler toute l'ampleur de son désespoir. Je n'en peux plus.

— Colby ne voudra plus de toi maintenant, affirmat-il, se montrant impitoyable. Il ne te pardonnera jamais de m'avoir cédé.

— C'était donc là ton idée ! s'exclama-t-elle avec un regain d'indignation.

— Non, et tu le sais très bien.

Oui, elle le savait, et elle savait aussi que si elle restait une minute de plus avec lui, la même situation se reproduirait. Le seul contact du doigt qu'il promenait sur son épaule la faisait frissonner. Il en était conscient. Il observait sa réaction d'un air triomphant.

Elle le repoussa en s'écriant :

— Je te méprise !

Se mettant debout d'un bond, elle s'écarta vivement de lui. Arrivée à la porte, elle se retourna comme un animal traqué et lança :

— Je t'en supplie... Laisse-moi partir !

Elle était consciente de l'inutilité de sa prière. D'ailleurs, Andreas émit un petit rire féroce.

— Tu es venue ici de ton propre gré.

— Tu m'as tendu un piège.

— Tu en étais tout à fait consciente, ma chère, et tu t'es volontairement jetée dedans. Je ne t'ai pas forcée à me suivre, comment l'aurais-je pu ?

— Tu as sans doute oublié que tu étais gravement malade ?

— Mens-toi à toi-même si cela peut te soulager, mais épargne-moi ces sottises ! Tu te trouves ici pour la même raison que moi. Ce n'est pas fini entre nous,

Lauren. Jamais nous n'avons supporté d'être séparés l'un de l'autre. Nous avons souffert, chacun de notre côté. Nous éprouvions une terrible faim que nous ne pouvions apaiser avec personne d'autre.

« Une terrible faim que nous ne pouvions apaiser avec personne d'autre. » Andreas avait trouvé les mots exacts pour décrire ce qu'avait ressenti Lauren. Elle resta sans voix, mais il lut la réponse dans ses grands yeux verts.

— Eh oui, Lauren, murmura-t-il très doucement.

Helen apparut par chance juste à cet instant pour annoncer le dîner.

— Venez-vous ou comptez-vous continuer à vous quereller toute la nuit ? lança-t-elle avec son franc-parler habituel.

Elle amusa Andreas qui lui répondit sur le même ton brutal et taquin, tandis que Lauren s'empourprait. Avait-elle entendu ? Comprenait-elle ce qui se passait entre eux ? Quelle humiliation !

Le repas réconforta un peu la jeune femme. Son malaise revint cependant avec le café. La gorge nouée, elle observait à la dérobée les traits sombres de son ex-mari.

Elle repoussa sa tasse et se leva. Andreas la retint par le poignet.

— Où vas-tu ?

— Me coucher, je suis fatiguée, fit-elle faiblement.

Elle attendit sa réaction avec une curieuse appréhension. Il laissa soudain retomber sa main et déclara d'un air tourmenté :

— Alors, bonne nuit.

Elle n'en crut pas ses oreilles, mais elle ne demanda pas son reste. Elle courut jusqu'à sa chambre, épiant des bruits de pas derrière elle. Mais non, il ne la poursuivait pas. Elle se déshabilla à la hâte et s'allongea. Le sommeil ne voulait hélas pas d'elle. Son corps refusait de se détendre et elle savait que si Andreas était venu la rejoindre, elle n'aurait pas eu la force de le repousser.

Elle dut tout de même s'endormir car la lumière intense du matin la surprit lorsqu'elle ouvrit les yeux. Au sortir de sa chambre, elle croisa l'infirmière qui lui dit sur un ton légèrement réprobateur :

— Allez-vous voir votre mari, aujourd'hui ? Vous lui avez beaucoup manqué hier.

— Bien sûr, dès que j'aurai pris mon petit-déjeuner, répondit-elle poliment.

— Je tiens à ce qu'il reste au lit, continua l'infirmière. Il se fatigue trop. Il n'aurait pas dû descendre pour le dîner hier. Si vous passiez davantage de temps auprès de lui, il chercherait moins à se lever.

Au prix d'un grand effort, Lauren conserva son calme jusqu'à la fin du sermon et, au pied de l'escalier, elle rencontra Helen qui l'accueillit à son tour avec un regard lourd de sous-entendus.

En lui servant le café, elle glissa :

— Cessez donc de lutter contre Andreas, vous ne gagnerez pas. Il n'a jamais admis la défaite.

Devenant aussitôt cramoisie, Lauren se défendit :

— Je n'ai pas l'intention de parler de mon mariage avec vous, fit-elle fermement, et le sourire d'Helen acheva de la rendre furieuse.

— Déjà enfant, il était ainsi, obstiné et possessif. Ce qui est à lui est à lui, ajouta-t-elle sans se laisser démonter.

— Je ne lui appartiens pas !

— Ah bon ! répliqua Helen avec l'air d'en douter.

Lauren se leva et repoussa violemment sa chaise.

— Non, je m'appartiens à moi-même.

Etait-ce vrai ? se demanda-t-elle en montant voir Andreas. Comment pouvait-elle prétendre à l'indépendance alors qu'il faisait d'elle ce qu'il voulait ? Furieuse, elle dut s'avouer qu'il exerçait sur elle un pouvoir irrésistible et pour comble, il le savait.

Elle pénétra dans sa chambre avec raideur et dignité. Il leva sans se presser les yeux du journal qu'il était en train de lire et discerna immédiatement l'expression hautaine derrière laquelle elle essayait de se réfugier. Il le lui fit comprendre d'un sourire ironique.

L'infirmière rangeait des médicaments sur une commode près du lit.

— Vous voyez, monsieur Keralides, je vous avais dit qu'elle viendrait, fit-elle sur un ton enjoué.

Elle se retira ensuite discrètement et Lauren se dirigea vers la fenêtre.

— Pendant que je suis ici, tu ne peux pas voir ton fils, déclara-t-elle d'une voix neutre. Ne te manque-t-il pas ?

— Si, répondit Andreas. Tu l'as vu à l'hôpital, ma mère me l'a dit. Que penses-tu de lui ?

Se crispant contre la souffrance, Lauren admit :

— Il te ressemble.

Caustique, Andreas rétorqua aussitôt :

— Est-ce un compliment ou une insulte pour le pauvre enfant ?

— C'est une simple constatation, affirma-t-elle froidement.

Comme Andreas ne répondait pas, elle se tourna vers lui. Il lui demanda alors :

— Le détestes-tu parce qu'il est le fils de Martine ?

La question la priva un instant de l'usage de la parole, puis elle assura :

— Je suis incapable de détester un enfant, quelle que soit la situation.

— Mais tu préfères oublier l'existence de celui-ci.

Andreas la scrutait attentivement, cherchant à déchiffrer ses sentiments sur son visage.

— Aimerais-tu te trouver en face de l'enfant de Philip ? lança-t-elle.

— Non !

La brutalité de cette réponse fit sursauter Lauren.

116

Andreas n'éprouvait-il pour elle qu'un désir physique, ou lui inspirait-elle aussi de l'amour ? Une telle explosion d'amertume était étrange...

— Pour le moment, Niko se passe très bien de moi, affirma Andreas comme pour se rassurer lui-même.

Ce séjour en Grèce devait durer un mois, songea Lauren, un mois pendant lequel Andreas avait prévu de régler ses comptes avec elle. Il l'oublierait ensuite et pourrait à nouveau se consacrer à son fils. A l'idée du mépris avec lequel il la traitait, elle se révolta et marcha instinctivement vers la porte.

— Où vas-tu ? s'enquit-il sèchement.

— Je n'en sais rien, mais je te quitte. Ta compagnie m'est insupportable !

Elle s'enfuit sans attendre sa réaction et courut respirer l'air froid et pur. Elle passa presque toute la journée à dessiner, s'obligeant à se concentrer sur le spectacle de la nature.

Andreas ne descendit pas pour le dîner et elle mangea seule, sous le regard lourd de reproches d'Helen.

Cette nuit-là, Lauren ne trouva pas le sommeil. Etendue dans son lit, elle écouta le lointain murmure de la mer. La violence du désir insatisfait la tortura jusqu'au matin. Elle apparut pâle et fatiguée au petit déjeuner et Andreas analysa ces marques de la lutte qu'elle s'était livrée. Il lisait à livre ouvert en elle. Il ne disait rien, mais elle entendait ce qu'il pensait. Il sentait à quel point elle avait dû se battre pour ne pas céder et venir le rejoindre dans son lit...

Il fit quelques pas avec elle dans le jardin ensuite, s'arrêtant parfois pour admirer la vue.

Ce soir-là, pendant le dîner, il l'effleura de la main en lui passant du pain et elle tressaillit à ce simple contact. Elle surprit aussitôt une lueur de triomphe dans ses yeux.

Leurs regards se croisèrent. Il la fixait avec cynisme et elle le haïssait...

— Cela devient de plus en plus dur, c'est inévitable, chuchota-t-il sur un ton complice.

— De quoi parles-tu ? rétorqua-t-elle sèchement sans parvenir à l'abuser.

— Nous sommes possédés, expliqua-t-il tranquillement. Il n'y a rien à faire, le désir coule dans notre sang. Plus on le refoule, plus il nous dévore.

— Je ne veux plus t'écouter ! s'écria-t-elle, et elle prit la fuite, courant s'enfermer dans sa chambre.

Il était minuit lorsqu'elle abandonna le combat. Depuis des heures, un silence total régnait dans la maison, mais Andreas ne dormait pas, elle le sentait. Une sorte de contact immatériel s'était établi entre eux et de savoir l'un éveillé empêchait l'autre de trouver le repos.

Ouvrant doucement la porte de la chambre d'Andreas, Lauren découvrit sa tête noire dans le halo jaune de la lampe de chevet. Il se tenait aux aguets et tressaillit à peine quand elle apparut.

Il leva lentement les yeux sur elle, et parcourut sans hâte et d'un air appréciateur sa silhouette revêtue d'une chemise de nuit de soie bleue ornée d'un grand volant de dentelle.

Il tendit tranquillement la main et la lumière s'éteignit. Lauren s'approcha de lui dans le noir. Il l'accueillit avec un premier baiser brutal, exigeant, administré comme une punition. Elle était en train de payer pour la longue attente qu'elle leur avait imposée. Dans ses bras, elle dut s'avouer que son besoin de lui ne s'était nullement apaisé. Il avait grandi au contraire et elle s'entendit gémir : « Je t'aime, je t'aime ! » sans pouvoir s'en empêcher. Elle n'avait même plus la force de ressentir l'humiliation de cet aveu. Elle avait perdu toute fierté. Plus elle se livrait à Andreas, plus elle connaissait un bonheur déchirant, et elle s'abandonna à l'ardeur sauvage que manifestait toute la volonté de cet homme d'affirmer une fois pour toutes le pouvoir absolu qu'il exerçait sur elle. Plus tard, lorsqu'elle pleura, il la berça dans ses bras et lui offrit enfin de la tendresse et de la douceur. Mais il avait d'abord tenu à la pousser jusqu'à une entière soumission.

Elle regagna sa chambre aux pâles lueurs de l'aube, laissant Andreas endormi. Elle eut beaucoup de mal à quitter la chaleur de son corps. Elle avait finalement trouvé le sommeil auprès de lui après avoir versé d'abondantes larmes. Elle se souvenait avec émotion de la manière dont il l'avait consolée, lui murmurant d'incohérentes paroles de réconfort. A son réveil, elle était restée un instant immobile, écoutant battre son cœur sous sa joue. Puis elle avait dû se faire violence pour écarter la main possessive qu'il avait refermée sur elle.

Elle fut étonnée de le voir descendre pour le petit déjeuner. Helen le considéra un instant et un sourire ravi éclaira son visage.

— Je reconnais mon Andreas aujourd'hui, déclara-t-elle.

Lauren comprit tout de suite ce qu'elle voulait dire. Il avait retrouvé son teint habituel, et ses yeux, leur éclat vif. Il se mouvait de nouveau avec sa grâce agile de félin.

Helen sortit et il s'assit en face de Lauren. Fuyant son regard, elle soupira en fixant la fenêtre.

— Vas-tu bouder toute la journée ? s'enquit-il. Je croyais que nous avions exorcisé tous les fantômes la nuit dernière.

— Vraiment ? lança-t-elle, se refusant toujours à le regarder.

S'imaginait-il qu'il avait suffi de quelques heures passées ensemble dans le même lit pour chasser le souvenir de Martine ?

— Ces larmes avaient bien une signification pourtant, murmura-t-il.

— Ne la connais-tu pas ?

Cette fois, elle le regarda, le visage blanc de rage.

— Je pleurais de honte !

Il se durcit instantanément à ces mots.

— As-tu donc tellement honte de m'aimer ?

Elle se couvrit la figure de ses mains, mais Andreas poursuivit son enquête sans aucune pitié.

— Est-ce parce que tu m'aimes que tu ne t'es pas décidée à épouser Colby ?

Il se versa du café et commença tranquillement à le boire, comme s'il parlait de la pluie et du beau temps.

Lauren fut un instant tentée de lui jeter sa tasse à la tête, mais un dernier soupçon de bon sens l'en dissuada. A quoi bon risquer un geste stupide qui se retournerait contre elle ?

— Un mariage me suffit, déclara-t-elle avec amertume.

— Tu avais pourtant l'intention de l'épouser ?

Elle haussa les épaules.

— Nous nous entendons très bien, alors pourquoi n'y aurais-je pas songé ?

Andreas révéla ses dents blanches en un sourire mauvais.

— Parce que Colby ne te convient pas, ma chère. Il est trop doux.

Il était si près de la vérité que Lauren bondit.

— Ne te moque pas de Philip ! Tu n'en as pas le droit. Il vaut mille fois mieux que toi !

Andreas tendit nonchalamment le bras et lui caressa la joue.

— Et c'est pourtant moi que tu aimes.

Elle le repoussa avec violence.

— Non !

— Oh si, tu m'aimes. Cela t'en coûte de l'admettre, mais je t'en ai arraché l'aveu la nuit dernière.

Ses yeux verts scintillèrent de fureur.

— Mais je me refuse à t'aimer !

— Certes, tu me l'as clairement fait comprendre, fit-il, prenant soudain une expression très sombre et sévère. Tu me méprises, je te fais horreur. Dois-je être flatté que tu ne puisses pourtant pas t'empêcher de venir dans mon lit ?

Elle essaya de le gifler, mais il emprisonna sa main, se leva et contourna la table. Puis il se pencha, lui immobilisa la nuque d'une poigne d'acier et commença à l'embrasser. Son corps, le traître, ne tarda pas à céder et elle s'accrocha sans le vouloir à lui en gémissant sous son baiser.

Il se redressa soudain et considéra son visage en feu d'un air redoutable.

— Comment as-tu pu laisser Colby te toucher ?

Son intonation exprimait une amère accusation.

— M'aimant comme tu m'aimes, comment as-tu pu, Lauren ! Dis-moi, as-tu couru te jeter dans ses bras après m'avoir surpris avec Martine ?

Elle secoua faiblement la tête et Andreas parut souffrir encore davantage.

— Avant, alors ?

— Il ne m'a jamais touchée, déclara-t-elle.

Les doigts d'Andreas s'enfoncèrent cruellement dans ses épaules.

— Comment ? Que dis-tu ?

— Bien sûr, j'étais furieuse au point de vouloir me venger en me jetant à la tête de n'importe quel homme, mais je ne l'ai jamais fait.

Il cherchait à lire dans ses pensées.

— Colby m'a pourtant raconté que...

— Il t'a menti, nous avons tous les deux menti. Il n'y a jamais rien eu entre nous.

— Oh, le fourbe... qu'il aille au diable ! s'écria Andreas d'une voix rauque de fureur.

Son visage avait pris une teinte crayeuse et les yeux noirs y brillaient avec une effrayante intensité.

— Andreas, murmura Lauren, bouleversée, Andreas...

Il la repoussa sans ménagement et quitta la pièce à grands pas rageurs. Lauren resta un long moment sans bouger. La plus totale confusion régnait dans son esprit. Qu'avait-elle donc dit pour le mettre dans une colère pareille ? Quand il se moquait d'elle, quand il se conduisait en vainqueur, elle ne s'étonnait pas. Cette colère la surprenait au contraire. Il s'était emporté avec une violence imprévisible...

Etait-il dans cet état parce que Philip lui avait menti ? Lauren en avait d'abord voulu à son ami de ce mensonge, puis elle s'y était résignée en comprenant qu'il la protégeait.

Mais pourquoi Andreas avait-il pris la nouvelle avec une telle hargne ?

8

Lauren ne revit plus Andreas de la journée et, la nuit venue, elle ne le rejoignit pas dans sa chambre. Elle tourna en rond dans la sienne jusqu'au moment où elle s'endormit d'épuisement.

Il faisait particulièrement beau pour la saison le lendemain matin. Sous le ciel clair et un soleil assez fort, la mer était presque redevenue bleue.

Lorsqu'elle descendit, Andreas terminait son petit-déjeuner en lisant le journal.

Elle hésita un instant, puis pénétra dans la pièce. Il leva tranquillement les yeux et s'enquit sur un ton moqueur :

— Bien dormi ?

— Très bien, et toi ?

La cafetière était tiède et, comme si elle devinait les besoins de Lauren, Helen apparut avec du café bien chaud. Elle se tourna vers le maître des lieux et demanda :

— Lui avez-vous dit ?

— Ne t'occupe pas de mes affaires, répliqua-t-il sèchement.

La domestique ne se laissa pas démonter.

— Ce sont mes affaires aussi ! Si vous retombez malade, que vais-je devenir ?

— De quoi s'agit-il ? glissa Lauren, considérant soudain Andreas avec inquiétude.

— Rien d'important, fit-il durement.

— Il s'agit de l'infirmière, déclara Helen, s'attirant un regard furibond de son maître.

— Retourne dans ta cuisine !

— Il l'a renvoyée, poursuivit imperturbablement la brave femme.

— Dehors ! rugit Andreas.

Elle consentit enfin à lui obéir, ajoutant encore avant de fermer la porte :

— Si elle s'en va, vous le regretterez.

— Tu ne peux pas la renvoyer ! protesta Lauren tout de suite après le départ d'Helen. C'est de la folie.

Il reprit son journal et se plongea de nouveau dans la lecture sans daigner discuter.

— Les médecins t'ont permis de venir ici à la condition d'être accompagné par une infirmière, insista-t-elle. Pourquoi veux-tu la renvoyer ? Qu'est-ce que cela changera ?

— Je ne peux plus la supporter, gronda-t-il.

— Pourquoi ? Parce qu'elle t'oblige à te reposer. Voyons, Andreas, sois raisonnable et...

Il abaissa son journal, révélant à Lauren l'ironie qui marquait son visage.

— Parce que tant qu'elle sera là, tu ne passeras pas toute la nuit avec moi. Si elle s'en va, resteras-tu ?

Rougissante, la jeune femme détourna les yeux.

— Ce n'est pas une raison pour...

— C'est une excellente raison pour moi. Je veux te trouver à mes côtés quand je me réveille.

Une vague de chaleur envahit Lauren. Les propos d'Andreas étaient empreints d'une tendresse très différente du sauvage désir qu'il avait manifesté jusqu'à présent. Il lui semblait retrouver l'homme des débuts de son mariage...

— Quand part-elle ?

— Aujourd'hui ?

— Par bateau ?

— Par avion, répondit-il en la fixant d'un air rusé. Mais ne complote rien pour profiter de l'occasion, *eros mou*. D'ailleurs je ne t'en laisserai pas la possibilité. Je ne te quitte pas jusqu'au décollage, ainsi je serai parfaitement tranquille.

— Mais c'est imprudent, soutint-elle. Qui sait si tu es vraiment complètement rétabli ? Garde-la encore quelques jours !

— Non, fit-il avec détermination. Elle me gêne trop. De toute façon, je n'ai plus besoin d'elle, ma mère arrive.

— Lydia ? s'écria Lauren, surprise. Quand ?

— Aujourd'hui, annonça-t-il en la regardant droit dans les yeux. Es-tu contente ?

— Tu sais combien j'aime ta mère.

Le sourire d'Andreas devint plus chaleureux.

— Oui, je le sais et j'en ai toujours été très heureux, déclara-t-il. Et elle t'aime aussi, plus que Sybil, sa propre fille, je crois.

— Mais Sybil ne m'a jamais aimée, déclara Lauren.

— C'est vrai, accorda-t-il.

— Elle m'en a voulu parce que…

— Parce que tu étais ma femme, compléta Andreas. Sybil a toujours été jalouse, elle aurait désiré dominer la famille, y faire régner sa loi. Son pauvre mari n'a guère la parole avec elle. Quant à moi, je ne lui ai jamais permis de se mêler de mes affaires.

Lauren avait failli dire que l'animosité de Sybil à son égard tenait à une autre raison. Si elle et Andreas avaient eu des enfants, ils auraient été des Keralides. Mais elle préféra se taire et feindre d'être d'accord avec le motif invoqué par Andreas.

Martine lui avait donné le fils qu'il désirait… elle trouvait trop douloureux d'en reparler. De son côté, Sybil se résignait difficilement au rôle mineur qu'occupaient les femmes chez les Keralides. Giorgios ne s'était inquiété que de l'avenir de ses garçons. Il avait souhaité pour Andreas une épouse de sa race et de sa classe : Martine. Il les avait poussés dans les bras l'un de l'autre.

— Ton père me haïssait aussi, soupira-t-elle involontairement.

Il resta un instant songeur, puis il arbora une mine attristée.

— Il ne t'aimait pas, j'en suis désolé, *eros mou*. Parce que tu étais anglaise, je suppose.

— Parce qu'il préférait Martine, rectifia-t-elle, prononçant ce prénom avec répugnance.

— Oui, reconnut-il, masquant ses émotions sous une expression indéchiffrable.

— Et tu as fini par la préférer aussi, ajouta-t-elle.

Elle se leva ensuite, mue par un violent regain de douleur et de jalousie. Elle ne pouvait plus supporter la vue d'Andreas tout à coup.

— Non, fit-il en la retenant fermement par le poignet.

Elle le fixa d'un air interrogateur.

— Non ? Qu'est-ce que cela signifie ?

Il ne répondit pas. Il dissimulait son regard sous ses paupières baissées. Il sembla hésiter, se préparer à parler, puis il se mordit les lèvres.

— Cesse de jouer avec moi, Andreas, murmura Lauren entre ses dents.

Elle se dégagea par surprise, courut hors de la pièce, enfila sa veste et repartit vers le rivage où, comme chaque fois, le spectacle de la mer l'apaisa. Même lorsque les pires tourments la déchiraient, la magnificence de la nature agissait sur elle comme un baume.

Se retournant une seule fois, elle aperçut Andreas posté à une fenêtre de la villa. Il la suivait des yeux et, malgré la distance, elle reconnut sa tête aux cheveux

126

noirs et le charme indiscutable de sa puissante silhouette.

Il avait gagné... comme toujours. Abandonnant toute fierté, Lauren lui avait avoué son amour. En échange, il n'avait exprimé ni excuses ni regrets. Il pouvait être content de lui...

La jeune femme se trouvait dans l'erreur depuis le jour de sa première visite à l'hôpital. Elle aurait dû refuser de s'y rendre. En acceptant, elle avait donné la preuve de sa faiblesse, laissant à Andreas toutes les possibilités pour l'exploiter. Et il ne s'en était pas privé. Il avait su se servir d'elle contre elle-même. Si elle l'avait vraiment haï, elle n'aurait pas remis son alliance, elle ne l'aurait pas embrassé, elle ne lui aurait pas permis de lui murmurer des mots d'amour...

Avec le désespoir et la honte pour compagnons, elle marcha contre le vent, longtemps.

Il lui fallut tout de même se décider à rebrousser chemin vers la villa. Où aurait-elle pu aller ?... Andreas l'attendait sur le seuil et il déchiffra sans mal les indices de son malaise moral sur son visage.

— Tu es pâle comme la mort, déclara-t-il.

— Et alors ? répliqua-t-elle amèrement.

Elle se sentait comme un soldat vaincu et sans défense devant un ennemi plus fort.

— Viens boire quelque chose, proposa-t-il, l'air préoccupé.

Il lui servit un whisky et elle le prit. La couleur revint sur son visage, mais elle resta triste et abattue.

Andreas l'observait en fronçant les sourcils. Après le déjeuner, ils écoutèrent de la musique. Etrangement épuisée, Lauren se recroquevilla sur le canapé et ne protesta pas quand son ex-mari vint s'asseoir à côté d'elle et la prendre contre lui. Elle se jeta dans le sommeil comme dans un ultime refuge.

Lorsqu'elle se réveilla, elle était encore sur le canapé, mais Andreas l'avait quittée après avoir glissé un coussin sous sa nuque. La pièce baignait dans la pénombre de la fin d'après-midi. Soudain, Lauren se redressa comme un ressort en entendant le vrombissement d'un avion. De la fenêtre, elle suivit l'envol de l'appareil dans le ciel bleu-gris. L'infirmière venait de partir et Lydia allait arriver d'un instant à l'autre.

Elle éprouvait une certaine appréhension à l'idée de la revoir. Fine comme elle l'était, Lydia ne tarderait pas à comprendre la situation. Lauren devait au moins se hâter de monter dans sa chambre afin de mettre un peu d'ordre dans sa tenue.

Au moment où elle pénétrait dans le hall, la porte d'entrée s'ouvrit et Lydia apparut, impeccable comme à son habitude. Dès qu'elle aperçut la jeune femme, un sourire illumina son visage et elle courut vers elle, les bras grands ouverts.

— Ma chère Lauren ! Etes-vous surprise de nous voir ? Moi aussi, je suis surprise d'être là, mais Andreas est l'homme des décisions rapides. Quel voyage ! Nous avons eu beaucoup de trous d'air et l'avion nous a terriblement secoués. Heureusement, Niko n'a pas été malade. Il était ravi au contraire et...

Elle s'interrompit, voyant Lauren blêmir et porter la main à son cœur comme s'il allait éclater.

— Vous n'étiez pas au courant ! s'exclama-t-elle.

Andreas pénétra à son tour dans la maison. Perché sur ses épaules, Niko riait aux éclats.

— Tu es un monstre ! lança Lauren à Andreas, puis elle partit comme une folle et courut s'enfermer dans sa chambre.

Il vint plus tard et frappa, mais elle ne répondit pas. Couchée sur son lit, elle était incapable du moindre mouvement. Même les larmes refusaient de couler de ses yeux. Les poings serrés, elle se bornait à suivre les progrès de l'obscurité autour d'elle.

— Ouvre ! ordonna-t-il.

128

Elle entendit l'enfant chanter à tue-tête quelque part dans la maison et elle se figea encore davantage.

— Faut-il que j'enfonce la porte ? gronda-t-il.

— Va-t'en ! cria-t-elle pour toute réponse.

Il y eut un silence, comme si Andreas était étonné d'avoir enfin réussi à la faire parler, puis il reprit sur un ton beaucoup plus doux :

— J'ai eu tort, je le reconnais. J'aurais dû t'avertir. Mais je craignais que tu ne réagisses mal et veuilles partir à tout prix avec l'infirmière.

— Menteur ! lança-t-elle. Jamais tu ne m'aurais laissée partir !

— J'aurais essayé de t'en empêcher, c'est vrai, admit-il. Je ne voulais pas mêler une étrangère à nos affaires. La présence de cette femme m'aurait compliqué la tâche. Voyons, ouvre cette porte. C'est absurde de discuter dans ces conditions. Veux-tu que tout le monde nous entende ?

— Cela m'est complètement égal, rétorqua-t-elle.

— Ma mère va se faire du souci.

— Ta mère ? Lydia sait très bien ce que j'éprouve à l'égard de Niko. Quant au reste, elle est sûrement au courant aussi. Je ne suis plus ta femme mais ta maîtresse. C'était ce que tu voulais depuis le début, n'est-ce pas ? Je n'ai jamais été digne d'appartenir à la famille Keralides ! Tu m'as épousée parce que mon père ne t'aurait pas permis de me déshonorer. Mais si tu avais pu faire autrement...

Elle criait à présent, donnant libre cours à sa colère et à sa douleur.

— Tais-toi, murmura Andreas, si bas qu'elle l'entendit à peine.

— Tu ne veux pas que je clame la vérité ? poursuivit-elle. Pourquoi m'as-tu conduite ici ? Parce que tu ressentais de nouveau du désir pour moi ? Il y a cinq ans, tu m'as laissée partir bien facilement. Aujourd'hui, tu n'as pas eu besoin de passer par le mariage. Il t'a suffi de tendre la main...

Un flot de larmes brûlantes l'obligea soudain à s'interrompre et elle enfouit son visage entre ses mains.

— Ouvre !

A présent, Andreas s'attaquait à coups de poings au panneau, mais il en fallait davantage pour ébranler un bois aussi solide.

— Va au diable ! marmonna Lauren sans même relever la tête.

Soudain, elle n'entendit plus rien. Andreas était parti. Il faisait nuit à présent et l'enfant ne chantait plus. Elle s'était conduite d'une façon stupide, mais il n'aurait pas dû faire venir Niko.

— Je te donne trente secondes et je fais sauter la serrure ! lança-t-il subitement, la faisant sursauter au milieu de ses réflexions.

Cette fois, Lauren se redressa. Il ne menaçait sûrement pas en vain. Il possédait une collection d'armes dans son bureau et il savait s'en servir. Il était même un tireur de premier ordre.

En sanglotant, elle se traîna jusqu'à la porte et ouvrit. Andreas attendait, le regard noir, un pistolet à la main.

— Petite sotte ! s'exclama-t-il.

Il posa l'arme sur une table, alluma la lumière et força Lauren à le regarder. Elle cligna des paupières à la soudaine clarté.

— Tu n'aurais pas dû le faire venir, gémit-elle.

— Tu ne peux pas continuer à ignorer son existence toute ta vie. Et puis ma mère m'a dit qu'il supportait de plus en plus mal d'être séparé de moi. Je l'ai complètement négligé depuis mon accident. Je ne pouvais pas l'abandonner plus longtemps.

— Mais tu aurais pu m'avertir.

— Te demander ton accord pour le faire venir ?

130

Comment aurais-tu réagi ? Tu aurais voulu partir, reconnais-le.

— Maintenant aussi je veux partir, répliqua-t-elle, farouche, le menton relevé en signe de défi, les yeux étincelants de colère.

Il la prit par les épaules et plongea son regard dans le sien.

— Je ne te laisserai plus jamais partir. Tu es à moi.

— C'est ce que tu as dit à mon père, mais nous avons divorcé et, pendant cinq ans, tu n'as pas cherché à me revoir.

— Parce que je croyais que tu m'avais trompé avec Colby.

L'intense jalousie qui vibrait dans sa voix convainquit Lauren.

— Je voulais le tuer, et te tuer aussi. Puis j'ai appris que tu avais entamé les procédures de divorce et que tu avais quitté Londres. J'ai préféré ne pas essayer de te retrouver car je n'aurais pas pu répondre de mes actes.

— Toi, tu m'as trompée avec Martine, mais c'est sans importance. Tu te considères innocent et tu te permets même de m'en vouloir, à moi... parce que je suis l'une de tes possessions et que je t'ai échappé. Avoue que tu ne manques pas d'audace !

Il plongea ses mains dans la longue chevelure blonde de Lauren, enroulant des mèches autour de ses doigts, et déclara :

— Tu ne m'échapperas plus jamais. J'ai réussi à te ramener jusqu'à moi, je ne te lâcherai plus.

— Tu t'imagines vraiment que je vais accepter d'être ta maîtresse devant le fils de Martine ? explosa-t-elle.

— Ah, c'est donc là que le bât blesse ! s'exclama-t-il, soupesant visiblement sa découverte.

— Tu ne crois tout de même pas que je vais tolérer cette situation ?

— Et si nous étions mariés ? s'enquit-il en l'observant attentivement sans rien livrer de ses propres pensées.

Lauren tressaillit à ces mots. Elle hésita, puis murmura d'une voix curieusement altérée :

— Tu ne m'as encore jamais parlé de mariage.

— L'occasion ne s'en est guère présentée ! ironisat-il.

— Evidemment, tu ne songeais qu'à m'attirer dans ton lit, affirma-t-elle rageusement.

Andreas lui décocha un sourire moqueur mais irrésistible.

— Bon, admettons, mais si nous étions mariés, supporterais-tu la présence de Niko ?

Elle baissa les yeux.

— Oui, avoua-t-elle, je pourrais même l'aimer, mais la question ne se pose pas. Nous ne nous marions pas.

— Pourquoi ?

— Parce que je ne te fais plus confiance. Il y a eu trop de femmes dans ta vie. Je ne veux pas reprendre le risque d'en trouver un jour une autre couchée auprès de toi.

— Cela n'arrivera plus, affirma-t-il, les traits figés et indéchiffrables.

— Tu le dis maintenant, mais tu peux encore changer d'avis. Je t'ai cru une fois. Tu m'avais raconté que je serais toujours la seule femme de ta vie et j'étais assez jeune et naïve pour ne pas en douter ! Jimmy et Philip m'avaient pourtant mise en garde...

La jalousie réapparut dans les yeux d'Andreas.

— Ne parle plus jamais de Colby devant moi !

— Tu n'as jamais éprouvé aucune sympathie pour Philip.

Il émit un rire chargé de dérision.

— Nous nous haïssons tous les deux depuis le jour où nous nous sommes rencontrés et nous savons bien pourquoi.

Lauren rougit légèrement. Andreas s'était aussi tout

de suite aperçu qu'elle éprouvait une grande sympathie à l'égard de Philip. Il ne lui inspirait pas des sentiments aussi profonds que son ex-mari, mais elle le considérait depuis toujours comme un ami très cher.

— Il a toujours été très bon pour moi, fit-elle.

— Evidemment, répliqua Andreas, la mine sombre. C'est un garçon tenace. Il était prêt à attendre le temps qu'il faudrait pour arriver à ses fins.

Lauren secoua la tête.

— Tu le juges bien mal.

— Non, Lauren, c'est toi qui te berces d'illusions sur lui. Mais tu ne l'épouseras plus maintenant.

Il lui prit le menton et l'obligea à le regarder. Elle vit une lueur effrayante dans ses yeux.

— Tu vas me donner sa bague. Je me ferai un plaisir de la lui jeter à la figure.

— Tais-toi! Tu es injuste! Philip ne mérite pas d'être traité ainsi. Quoi que tu penses de lui, c'est le meilleur des hommes.

Andreas fronça sévèrement les sourcils.

— Il nous a fait beaucoup de mal à tous les deux, Lauren. Nous n'avons pas à prendre de gants avec lui, crois-moi.

— Mais pourquoi?

Il haussa les épaules.

— Je te l'ai déjà dit. Il m'a menti, il m'a raconté que tu t'étais donnée à lui cette fameuse nuit.

Détournant les yeux, la jeune femme murmura faiblement :

— Il a menti pour moi. Il a voulu me venger du choc et de l'humiliation que j'ai éprouvés en te surprenant avec Martine.

— Es-tu vraiment persuadée qu'il a menti pour toi? s'écria-t-il avec amertume. Voyons, regarde les choses en face! Il l'a fait pour lui! L'occasion qu'il guettait depuis des mois se présentait et il a sauté dessus. Il détenait enfin le moyen de nous séparer à jamais et de te garder pour lui.

Assaillie par une nouvelle vague de désespoir, Lauren s'écarta d'Andreas.

— Après ce que j'avais vu, nous nous serions séparés de tout façon.

— Non, déclara calmement Andreas.

Elle s'emporta.

— Si! J'ai été assez sotte et naïve pour ne pas comprendre tout de suite quel genre d'homme tu étais. Mais même une aveugle comme moi ne pouvait plus ignorer la vérité après t'avoir découvert avec Martine!

— Ce n'est pas Martine qui nous a séparés, mais Colby, insista-t-il.

Toute discussion avec Andreas s'avérait inutile. Il refusait de reconnaître la gravité de sa trahison. Pourquoi persistait-il à minimiser l'importance de son infidélité?

— Nous ne nous comprenons pas, gémit-elle en se couvrant le visage de ses mains. Nous ne parlons pas le même langage. Tu estimes qu'un homme a le droit de bafouer les engagements sacrés du mariage, alors qu'une femme doit les respecter. Je ne suis pas d'accord.

Elle laissa retomber ses mains, révélant sa soudaine pâleur.

— Si nous recommencions, nous irions vers le même désastre qu'il y a cinq ans. Une Grecque tolérerait peut-être mieux ton comportement, moi j'en suis incapable. Ecoute-moi bien, Andreas, je ne t'en veux pas de m'avoir trompée au nom de la morale ou de la loi, mais au nom de... l'amour.

— L'amour? répéta-t-il doucement en posant la main sur son épaule.

— Laisse-moi!

Elle recula craintivement.

— Oh je sais, je ne peux pas te résister, je ne

cherche même plus à le nier, mais je ne te parle pas de désir physique. Je te parle d'amour, de confiance, d'honnêteté, et plus rien de cela n'existe entre nous. Crois-tu que je pourrais supporter de me demander sans cesse dans quel lit se trouve mon mari? Je deviendrais vite folle.

Il l'étudia un moment en silence, sa bouche si sensuelle esquissant une moue songeuse, puis il déclara :

— Très bien. Va te maquiller, recoiffe-toi et descends vite avant que Lydia et Gregori ne s'imaginent que je t'ai étranglée.

— Gregori! répéta-t-elle, interdite. Il est ici? Pourquoi donc? Ne me dis pas que Sybil et Stephanos sont là aussi! Ne me dis pas que toute ta maudite famille est réunie à la villa! Qu'est-ce que cela signifie?

Andreas marcha jusqu'à la porte, puis se retourna, lui présentant un visage à l'expression énigmatique.

— J'ai demandé à Gregori de venir.

Elle ne parvenait pas à deviner la raison de la lueur conspiratrice qui brillait dans ses yeux.

— Quelle idée d'avoir invité Gregori! lança-t-elle. Sais-tu qu'il a essayé de me courtiser?

— C'est un séducteur-né, répondit Andreas.

— Et tu n'es pas étonné d'apprendre qu'il m'a fait des avances?

— Le contraire m'aurait bien plus étonné, fit-il avec un sourire. Tu es très belle. J'ai remarqué que tu l'attirais.

— Mais tu étais sûr de moi, n'est-ce pas, Andreas?

— Je te faisais confiance, ma chère, répondit-il sur un ton étrange et il quitta la pièce, la laissant méditer ces paroles.

9

Lauren prit son temps pour se préparer. Cette conversation avec Andreas l'avait déroutée. Elle voulait se remettre avant de rejoindre Lydia et Gregori. Une demi-heure plus tard, elle quittait enfin sa chambre, descendait lentement l'escalier et s'arrêtait dans le hall pour écouter les voix venant du salon. Très grave, celle de Gregori se reconnaissait aisément. Lauren se décida d'un seul coup à pousser la porte et elle se tint un instant sur le seuil, les défiant tous les trois du regard.

— Vous voici, ma chère enfant, déclara calmement Lydia, comme s'il s'agissait d'une situation parfaitement ordinaire.

Elle désigna la place libre auprès d'elle sur le canapé.

— Venez vous asseoir.

Lauren parcourut la pièce des yeux, et son ex-belle-mère interpréta cette quête silencieuse.

— Niko est couché, annonça-t-elle d'elle-même.

Lauren rougit d'être ainsi percée à jour. Elle traversa le salon, consciente qu'Andreas l'observait. Elle s'installa à côté de Lydia, croisa ses longues jambes élégantes et considéra Gregori. Lui aussi l'étudiait, avec une admiration non dissimulée. La jeune femme lui adressa délibérément un sourire provocant.

— Bonjour, Gregori, vous avez pu vous résigner à quitter les plaisirs de Londres ?

— Eh oui, lança-t-il sur le même ton léger. Andreas me l'a demandé. Puis-je vous servir à boire ?

Il se levait déjà et Lauren lui répondit aimablement :

— Volontiers. Un martini, s'il vous plaît.

Il le lui versa aussitôt et, en le lui apportant, il l'enveloppa de nouveau d'un regard très appréciateur.

— Vous êtes de plus en plus belle, fit-il d'une voix caressante.

Elle battit coquettement des paupières, entrant exprès dans ce jeu de la séduction parce qu'Andreas les surveillait attentivement.

— Vous êtes un flatteur, Grégori.

— Avez-vous peint depuis que vous êtes ici ? glissa Lydia, une note d'inquiétude transparaissant dans son intonation.

Lauren se tourna alors vers elle.

— J'ai fait de nombreux croquis. Je projette de réaliser un grand paysage quand je serai de retour dans mon atelier. Cette île m'inspire beaucoup.

— Comptez-vous retourner bientôt en Angleterre ? demanda Gregori en jetant à la dérobée un coup d'œil vers son cousin.

— Non, elle ne repart pas pour le moment, déclara tranquillement ce dernier, bien calé dans un fauteuil, un verre à la main.

— Dès que je le pourrai, fit Lauren, se refusant à regarder dans la direction de son ex-mari. Il faut que je me remette au travail.

— Vous commencez à jouir d'une certaine renommée, affirma Gregori, adoptant cette fois à son égard une attitude plus sérieuse. Lors de mon dernier voyage aux Etats-Unis, j'ai lu un article qui parlait de vous dans une revue.

— Oui, Philip me l'a montré, confirma-t-elle.

Gregori esquissa une moue légèrement désobligeante.

— Ah, votre fiancé, murmura-t-il. Au fait, sait-il que vous vous trouvez ici ?

L'air absent, Andreas faisait lentement tourner son verre entre ses mains. Lauren se sentit rougir.

— Oui, fit-elle avec force, intimant du regard à Gregori l'ordre d'abandonner ce sujet.

Sans aucune pudeur, celui-ci continua pourtant sur un ton ironique :

— Il a vraiment l'esprit large, votre fiancé. Avec moi, les choses ne se passeraient pas ainsi.

— Assez ! s'écria brutalement Andreas.

Gregori lui décocha un petit sourire moqueur.

— Allons, Andreas, elle n'est plus ta femme. Et Colby semble la laisser très libre.

Andreas sembla s'abandonner passivement contre le dossier de son fauteuil, mais une lueur menaçante brillait dans son regard.

— Cherches-tu les ennuis ? s'enquit-il d'un air presque négligeant.

Gregori serra les dents.

— Je croyais que tu m'avais fait faire tout ce chemin pour t'en débarrasser. Ce ne serait pas la première fois que je séduirais une femme dont tu t'es lassé.

Une cuisante humiliation fit monter le rouge aux joues de Lauren. Elle bondit sur ses pieds, mais Andreas, plus prompt qu'elle, la repoussa sur le canapé sans façon en lui ordonnant sèchement :

— Ne bouge pas, toi !

— Faut-il que je l'écoute ? explosa-t-elle. Qu'est-ce que tu projettes, Andreas. L'as-tu vraiment appelé pour me remettre à lui comme un objet devenu inutile ?

— Un très joli objet, susurra Gregori en la détaillant d'une façon révoltante. Vous ne perdrez rien au change, Lauren. Je vous surprendrai peut-être favorablement.

Etait-il devenu fou ? se demanda la jeune femme, au comble de l'indignation. Il promena sur elle le plus insolent des regards...

Andreas se leva avec une lenteur trompeuse. Gregori comprit parfaitement son intention et la panique se peignit sur son visage. Il était trop tard. Les doigts puissants d'Andreas se refermaient autour de son cou et il se débattit en vain. Soudain, son cousin le repoussa violemment et il tomba sur un siège, la face violette, la bouche grande ouverte aspirant l'air d'une façon saccadée.

Andreas le considérait sans la moindre émotion.

— Tu as de la chance de respirer encore, déclara-t-il. Je t'ai laissé parler pour que Lauren constate par elle-même quel porc tu es sous tes manières policées !

Il s'adressa ensuite à son ex-épouse :

— Je lui ai fait croire qu'il n'avait pas besoin de cacher son jeu avec toi. Je suis désolé, ces propos t'ont été très désagréables, mais à moi aussi, crois-moi.

Lydia posa une main sur le bras de Lauren et déclara avec une infinie douceur :

— J'ai une histoire à vous raconter.

— Je ne veux plus rien entendre ! répliqua la jeune femme.

Comme elle se levait, Andreas insista fermement :

— Il faut que tu l'écoutes. Je les ai fait venir ici pour cela. Si c'est moi qui te racontais cette histoire, tu ne me croirais pas. Ecoute ma mère, s'il te plaît.

— J'ai la preuve que Lydia peut mentir pour toi, objecta-t-elle avec méfiance.

— Elle ne mentira pas aujourd'hui.

— Comment le saurai-je ?

Andreas la regarda, puis considéra Gregori d'un œil sévère et méprisant.

— Observe-le, et tu la croiras.

Gregori s'était tout juste remis de son choc, mais son visage exprimait un profond embarras.

Lauren consentit à se rasseoir et elle lança à Lydia d'une voix lasse :

— Très bien, allez-y.

La vieille dame posa sur elle des yeux où brillait la franchise.

— Je n'ai pas besoin de vous rappeler que des années avant qu'Andreas ne vous rencontre, son père essayait déjà de le convaincre d'épouser Martine.

Lauren se mordit nerveusement la lèvre inférieure.

— C'est inutile, en effet, votre mari ne s'est guère gêné pour me l'apprendre.

— Oui, soupira Lydia, Giorgios voulait une Grecque pour Andreas, c'était une obsession. Ils se sont querellés à ce sujet, et Martine savait que Giorgios songeait à elle. Pour comble de malheur, elle ne demandait pas mieux que de devenir la femme d'Andreas.

— Il lui plaisait bien, glissa Gregori d'une voix rauque en massant sa gorge encore douloureuse.

— Et cela t'irritait, n'est-ce pas ? questionna froidement Andreas.

Le jeune homme lui jeta un regard haineux.

— J'en étais malade. Elle te considérait comme un dieu et tu ne daignais même pas t'apercevoir de son existence. Abandonnant toute fierté, elle se mettait à plat ventre devant toi, espérant que malgré ta répugnance pour ce projet, tu finirais par l'épouser. Mais tu t'es marié avec une Anglaise en la repoussant impitoyablement. Dieu sait que je l'avais avertie qu'elle courait à l'échec.

— Heureusement, tu étais là pour la consoler, murmura sournoisement Andreas.

Gregori s'empourpra de nouveau et fixa son cousin sans répondre.

— Tu l'as traquée sans répit, poursuivit Andreas. Elle ne pouvait pas faire autrement que de céder un jour ou l'autre. Combien de temps t'es-tu acharné ? Six mois ? Neuf ? La conquête s'est avérée difficile, n'est-ce pas ?

S'emportant subitement, Gregori lança :

— Au risque de te décevoir, cela n'a pas été si dur. Elle se sentait tellement humiliée par ton mariage avec une autre qu'elle m'est tombée dans les bras comme un fruit mûr.

Le regard étonné de Lauren se porta tour à tour sur Andreas et sur son cousin. Ainsi, Martine avait eu une liaison avec Gregori ! Cela n'avait rien d'extraordinaire à la réflexion, mais en quoi Lauren était-elle concernée ?

— Est-ce en ces termes que tu comptes présenter l'affaire à ta femme ? s'enquit Andreas sur un ton glacial.

Gregori sembla étouffer de nouveau, le sang afflua à son visage. Il fixa sur son cousin des yeux affolés.

— Tu ne lui diras rien, n'est-ce pas ? Ce serait une catastrophe !

— Il fallait y penser plus tôt, rétorqua Andreas avec la même froideur.

Gregori se tourna alors vers Lydia, l'air implorant :

— Vous savez combien Rhea réagirait mal si elle apprenait ma liaison avec Martine. Elle ne supporterait pas le choc !

— Pauvre Rhea, murmura tristement Lydia, elle méritait mieux qu'un homme comme vous.

Il sembla se recroqueviller sous tant de mépris.

— Mais je suis un homme normal, c'est tout. Croyez-vous qu'il soit facile pour moi de vivre avec une femme que j'aime en me contentant de la regarder de loin ? Je le savais dès le début et pourtant, je n'ai pas pu renoncer à l'épouser. Notre union est d'ailleurs heureuse, même si je vis dans la crainte de la voir mourir d'un instant à l'autre. Sa maladie de cœur risque de l'emporter aujourd'hui, demain, dans un an, personne ne le sait. Elle se doute bien que j'ai des maîtresses et elle le comprend. Mais jamais elle ne me pardonnerait une liaison avec Martine. Si elle l'apprenait, elle en mourrait...

En cinq ans, Lauren avait eu le temps d'oublier certaines choses. Elle n'avait rencontré Rhea, la femme de Gregori, qu'une seule fois. Née avec une malformation cardiaque, elle ne quittait jamais sa chambre et économisait ses pauvres forces pour prolonger au maximum son existence. Elle passait ses journées dans une tranquillité absolue et recevait rarement des visiteurs. Horrifiée, Lauren se rappelait à présent que Rhea était la sœur de Martine.

Gregori avait fait un mariage d'intérêt, songea-t-elle. Jamais il ne parlait de Rhea, et il passait le plus clair de son temps à survoler le monde en avion tandis qu'elle vivait en ermite à la campagne. Ils n'avaient évidemment pas d'enfants.

Lydia ne cachait pas son dédain pour Gregori. Haussant ses frêles épaules, elle déclara :

— Vous saviez très bien ce que vous faisiez. Vous avez séduit la sœur de Rhea volontairement, ce ne fut pas un hasard, avouez-le. Et vous saviez aussi que cette trahison-là, Rhea ne pourrait jamais vous la pardonner.

Il essaya de se défendre.

— C'est facile de condamner les autres. Vous n'avez aucune idée de ce qu'est ma vie.

Lydia protesta en secouant la tête.

— Vous croyez ? Rhea connaissait votre tempérament ardent et elle a bien réfléchi avant de vous épouser. J'ai longuement pesé le pour et le contre avec elle à l'époque. Rhea n'est pas stupide. Elle n'ignorait pas que vous convoitiez sa part de la fortune familiale.

— C'est faux ! s'écria le jeune homme, sa voix trahissant un réel chagrin. Elle n'a pas une aussi mauvaise opinion de moi, vous mentez !

— Elle vous a bien jugé, affirma imperturbablement Lydia. Et elle a accepté ce mariage parce qu'elle vous aimait. Elle s'est préparée à souffrir à cause de vous avec le même courage qu'elle déploie pour supporter sa maladie.

Abattu, Gregori se prit le visage entre ses deux mains. Andreas alluma un cigare en étudiant son cousin. Lydia le considérait aussi d'un air songeur. Ils semblaient avoir oublié Lauren.

Au bout d'un moment, Gregori redressa la tête et déclara sur un ton désolé :

— J'aime Rhea. C'est pour cette raison que je... désirais Martine... parce qu'elle... lui ressemblait.

Nullement surprise par cette confession, Lydia hocha la tête.

— Martine l'avait compris. Elle a aussi souffert à cause de vous. Vous prétendez qu'Andreas l'a blessée dans son orgueil, mais vous ? Lui au moins, il ne se servait pas d'elle parce qu'elle lui rappelait une autre femme !

Gregori quitta son fauteuil et marcha jusqu'à la fenêtre.

— Pourquoi remuez-vous des histoires qui remontent à cinq ans ? Pourquoi choisissez-vous ce jour pour me menacer de révéler la vérité à Rhea ?

L'air impassible, Andreas fixait l'extrémité rougeoyante de son cigare.

— A cause de Niko, déclara-t-il.

Gregori se retourna d'une seule pièce, les sourcils froncés.

— Qu'est-ce que cela signifie ?

Au lieu de répondre, Andreas regarda Lauren, puis Lydia.

— Eh bien ? s'impatienta Gregori.

— Asseyez-vous, lui suggéra Lydia.

Les traits déformés par la colère, il ne lui obéit qu'après avoir remarqué l'expression menaçante d'Andreas. Une fois installé dans le fauteuil, il attendit.

143

— Niko est votre fils, annonça soudain doucement Lydia.

Gregori resta un moment bouche bée. Les yeux lui sortaient presque de la tête. Puis il explosa :

— Oh non, ce n'est pas vrai ! J'ai demandé à Martine et elle m'a toujours dit que Niko n'était pas mon... Oh mon Dieu, si j'apprenais...

Une grimace féroce déforma son visage et il fixa un instant Lauren.

— Je vois où vous voulez en venir ! lança-t-il. C'est pour elle que vous inventez cette fable !

— Assez ! s'écria Lauren en se levant. Je devine aussi vos intentions, Lydia, mais ne mêlez pas ce pauvre enfant à nos tristes affaires. Je ne veux pas qu'il en subisse les conséquences. Pour qui me prenez-vous ?

— J'ai une preuve, annonça calmement Lydia.

La jeune femme se laissa retomber sur le canapé et Gregori s'affaissa dans son fauteuil, les yeux écarquillés.

— Quelle preuve ? s'enquit-il.

— Les aveux de Martine, répliqua Lydia, toujours aussi maîtresse d'elle-même. Un peu de patience. Je veux d'abord tout expliquer à Lauren. Laissez-moi parler, Gregori.

Elle se tourna vers l'intéressée :

— Le jour où vous vous êtes enfuie chez votre père, Andreas s'est ensuite terriblement disputé avec le sien. Cette querelle l'avait tellement bouleversé qu'il a bu pour oublier tout le reste de la soirée. Je l'ai découvert ivre mort dans son bureau à minuit, et j'ai dû demander à deux domestiques de le porter jusqu'à son lit.

Un soupir lui échappa et elle reprit sa pénible narration.

— Martine se trouvait dans la maison, évidemment. Elle s'est rendu compte de ce qui se passait. Elle est sortie de sa chambre pour me faire des remarques déplaisantes à votre sujet et rejeter sur vous la responsabilité de cet affrontement entre Giorgios et Andreas. Je me suis montrée très sèche envers elle, et elle m'a quittée sur un coup de colère.

— J'ai dormi comme une bûche cette nuit-là, continua Andreas, se substituant à sa mère. Et quand je me suis réveillé, Martine était couchée à mes côtés.

— Et là commence le conte de fées, écoutez-bien, Lauren ! glissa Gregori avec une cruelle ironie.

Andreas lui jeta un regard noir.

— Je te conseille de te taire !

Il reporta ensuite toute son attention sur Lauren.

— J'avais un sacré mal aux cheveux quand je suis sorti de mon sommeil. Rien ne me tentait moins qu'une femme à ce moment-là, et certainement pas Martine. D'ailleurs, elle aurait pu être à moi quand je le voulais. Je n'aurais eu qu'à siffler.

Il la vit se contracter et s'excusa :

— Je sais, cela te paraît odieux, mais c'est pourtant la stricte vérité. Martine s'était déjà littéralement jetée à ma tête à plusieurs reprises. Mais elle ne m'intéressait pas. Cette fois-là non plus. Je lui ai dit de sortir immédiatement de mon lit.

La rage et la souffrance se peignirent sur le visage d'Andreas lorsqu'il expliqua :

— Alors elle a éclaté de rire. Elle m'a raconté que tu étais venue et que tu l'avais vue auprès de moi. Elle t'avait entendue entrer dans la maison et elle s'était précipitée dans notre lit exprès pour que tu l'y surprennes. La garce ! Tu aurais dû voir son expression lorsqu'elle m'a décrit son exploit ! Elle se rendait compte du mal qu'elle avait fait et elle en était ravie. Elle jubilait !

Andreas fixait à présent intensément Lauren, et ses traits se durcirent encore.

— Je me suis levé et j'ai foncé jusque chez ton père. Je ne m'attendais pas à être reçu à coups de poings par Colby. Il a eu de la chance que je ne l'aie pas tué. Ce n'était pas l'envie qui me manquait, mais ils s'y sont mis à deux, ton père et lui, pour me chasser de la maison.

Tandis qu'il cherchait son souffle coupé par tant de paroles et d'émotions ressuscitées, Lydia le relaya :

— Andreas est revenu dans un état effroyable. Il m'a rapporté sa terrible visite chez votre père. Je l'ai prié de s'en remettre à moi. Je voulais vous parler. J'étais sûre qu'à nous deux nous rétablirions la vérité. Vous connaissez la suite aussi bien que moi. Vous avez disparu sans laisser d'adresse et votre père s'est refusé à vous transmettre mes messages. J'ai tenté de lui expliquer ce qui s'était réellement passé entre Andreas et Martine, mais il ne m'a pas crue.

— Vous avez eu une explication avec mon père ? s'écria Lauren, stupéfaite. Il ne m'en a jamais parlé.

— Il ne m'aimait guère, glissa sèchement Andreas. Nos deux pères se sont chargés de nous séparer, Lauren. Reconnais-le. Le tien ne voyait pas notre mariage d'un bon œil et lorsque tu as songé à divorcer, il a poussé à la roue. Ensuite je t'ai écrit, mais tu n'as pas lu mes lettres, n'est-ce pas ? J'avais essayé de me persuader que tu t'étais donnée à Colby pour te venger et, malgré les blessures infligées à mon orgueil, j'ai tenté de te joindre. Malheureusement, je n'ai pas retrouvé ta piste. Nous avons divorcé et Colby m'a annoncé que tu l'épousais.

Incrédule, Lauren secoua la tête :

— Il t'a dit que je l'épousais !

— Oui, il m'a affirmé que tu l'aimais et alors, je pense que je t'aurais étranglée si j'avais remis la main sur toi.

— Mais toi, tu as bien épousé Martine ? lança-t-elle d'une voix brisée par l'émotion.

— Ah oui, Martine... murmura Andreas. Elle attendait un enfant. Quand mon père lui a demandé de qui il était, elle m'en a attribué la paternité.

— Et c'est vrai, Lauren ! s'écria Gregori. N'écoutez

pas ses mensonges ! Martine lui a appartenu cette nuit-là.

— Non, protesta énergiquement Lydia, mais Martine s'est entêtée à désigner mon fils et Giorgios l'a mis en demeure de l'épouser dès qu'il serait libre.

— A vrai dire, expliqua Andreas, une femme ou une autre, rien n'avait plus d'importance pour moi. Mais je haïssais Martine pour le mal qu'elle nous avait fait. Elle m'a alors menacé de révéler à Rhea sa liaison avec Gregori si je ne l'épousais pas. J'en ai déduit que Gregori était le père de l'enfant et elle me l'a avoué... certes pas devant mon père dont elle avait peur. Elle l'a seulement reconnu devant moi.

— Et nous devons te croire ! railla son cousin.

— Oui, répondit calmement Andreas, car j'ai pris soin d'enregistrer notre conversation.

Durant le silence qui suivit, le jeune homme resta comme foudroyé.

— Lorsque Martine a su que je comptais faire écouter cet enregistrement à mon père pour démasquer son mensonge, elle a eu recours au chantage. Au risque de provoquer la mort de sa sœur, elle était décidée à exiger de Gregori qu'il reconnaisse l'enfant.

— Et elle l'aurait fait, confirma Lydia. Elle était jalouse de Rhea, elle ne demandait même qu'une occasion de se venger parce que Gregori l'avait seulement séduite à cause de leur ressemblance.

— Je ne pouvais pas la laisser commettre ce crime, poursuivit Andreas. puisque j'avais hélas définitivement perdu ma femme, j'ai épousé Martine. Quant à Niko, il avait de toute façon le droit de porter le nom des Keralides.

Gregori se leva lentement, solennellement.

— Même si Martine l'a prétendu, cela ne prouve pas qu'il soit mon fils.

— Il a fallu lui faire une transfusion sanguine à sa

naissance, déclara Andreas. Tu devines pourquoi, je suppose ? N'es-tu pas Rhésus négatif ?

Pâle comme la mort, Gregori acquiesça.

— Et Martine était Rhésus positif. L'enfant né de tels parents ne peut survivre que si l'on change son sang dès sa venue au monde.

— Mon Dieu ! soupira faiblement le jeune homme.

Andreas accueillit son accablement d'un haussement d'épaules.

— Martine n'avait pas prévu le problème, et les médecins encore moins. Ils me considéraient comme le père et j'étais du même Rhésus qu'elle. Ils n'ont rien compris quand l'enfant est arrivé.

— Alors Niko est mon fils ! Pourquoi ne m'en as-tu rien dit ? se lamenta Gregori. Tu savais bien que je l'ignorais !

Andreas le regarda sans le moindre sentiment.

— Officiellement, je suis son père. Et même jusqu'à cet instant, tu t'es acharné à renier ce pauvre enfant.

— Parce que je ne savais pas ! Moi qui ai toujours rêvé d'avoir un fils ! Rhea ne peut pas avoir d'enfant et tu m'apprends soudain que j'en ai un dont la mère était la femme la plus proche de Rhea !

— Mais Rhea ne devra jamais rien en savoir, affirma sévèrement Lydia. Vous ne pouvez pas réclamer Niko.

La joie subite qui avait illuminé Gregori fut remplacée par une expression de profonde souffrance.

— C'est mon châtiment, déclara-t-il après un long silence. J'ai un fils et c'est pire que si je n'en avais pas. Je suis maudit.

Sur ces mots, il quitta la pièce d'un pas lourd. Lydia le suivit peu de temps après, laissant Andreas face à Lauren.

10

Lauren se décida enfin à rompre le silence :

— Pourquoi ne m'as-tu pas dit tout cela plus tôt ?

— Parce que tu ne m'aurais pas cru. Sans la présence de Lydia et de Gregori, tu ne m'aurais même pas écouté jusqu'au bout.

Elle l'observa à la dérobée entre ses longs cils.

— Admets que c'est une histoire effarante.

Andreas esquissa une triste grimace.

— Mon père ne demandait pas mieux que de croire Martine. Les événements prenaient exactement la tournure qu'il souhaitait.

Pour la première fois, Lauren songea à Martine avec compassion.

— La pauvre, entre Gregori et toi, elle n'a connu que déceptions et humiliations.

Andreas parut plus réservé.

— Si elle a souffert, elle s'est bien vengée en tout cas. Elle aurait tué sa sœur sans un remords et elle s'est acharnée à m'imposer cet enfant. Elle était capable de tout pour arriver à ses fins.

— Elle t'aimait, glissa Lauren.

— Ne fais pas trop de sentiments, déclara-t-il en secouant la tête. Martine aimait avant tout Martine.

— Est-ce que...

La jeune femme s'interrompit, n'osant poser la question qui lui brûlait les lèvres.

— Est-ce qu'elle a vraiment été ma femme ? dit Andreas à sa place, les yeux brillants d'une tendre ironie. Qu'en penses-tu, *eros mou* ?

Elle serra les poings. Il avait le don de la rendre folle.

— Comment le saurais-je ? Vous avez été mariés pendant trois ans.

— Disons plus exactement qu'elle a porté mon nom pendant trois ans, mais elle n'a pas une seule fois partagé mon lit. Je ne voulais pas d'elle et je ne m'en suis pas caché. Notre mariage était un simple arrangement. Elle avait obtenu ce qu'elle désirait, elle était ma femme aux yeux du monde. Quand elle s'est noyée, j'ai été incapable d'éprouver le moindre chagrin.

— Pauvre Martine !

Lauren jeta un coup d'œil à l'horloge et ajouta :

— C'est bientôt l'heure du dîner.

— Tu changes bien brusquement de sujet. Pourquoi ?

Elle se leva et, l'imitant, il la prit par le bras.

— Que se passe-t-il maintenant ? Tu me crois, Lauren ? Il n'y a rien eu entre Martine et moi cette nuit-là, je te le jure.

— Oui, je te crois, mais...

— Mais quoi ?

Rassemblant son courage, elle le regarda droit dans les yeux.

— Pourquoi as-tu attendu cinq ans pour me revoir ?

— A cause de Colby, déclara-t-il sèchement. Je savais qu'il attendait sa chance et je l'ai cru quand il m'a raconté que tu t'étais donnée à lui. Je l'ai cru. Je t'aurais pardonné et pourtant, j'étais fou de rage et de jalousie. Et puis les événements se sont précipités : le divorce, Martine, le bébé. J'ai eu le temps de douter de ton amour pour moi, de me persuader que tu préférais Colby.

— Je ne l'ai pas épousé. Ne t'en es-tu pas étonné ?

— Si, accorda-t-il, puis je me suis souvenu du genre de vie que menait ton père. Peut-être te comportais-tu comme lui ? J'ai pensé à tout.

Son visage revêtit une expression à la fois cynique et rusée.

— Je t'avouerai même que je l'ai espéré. Cela me consolait un peu d'imaginer Colby ne parvenant pas à t'épouser malgré ses efforts. Je ne savais plus ce qui valait le mieux. Qu'il y ait d'autres hommes dans ta vie pour mettre Colby à la torture, ou qu'il n'y ait que Colby pour que je sache de qui être jaloux...

Rougissante, Lauren lui demanda :

— Et pour quelle solution penches-tu maintenant ?

Andreas la fixa avec une gravité impressionnante.

— Dis-moi que je suis le seul homme de ta vie.

— Me croiras-tu ? s'enquit-elle.

— Il le faudra, fit-il d'une voix émue, car je ne me séparerai plus jamais de toi.

Elle leva vers lui un visage bouleversé.

— J'ai songé à t'oublier avec d'autres, mais je n'ai pas pu. J'ai même invité quelqu'un chez moi le soir où j'ai appris ton mariage avec Martine. Mais je l'ai renvoyé très vite.

— Qui était-ce ? interrogea Andreas d'une manière pressante, les feux de la jalousie s'allumant de nouveau dans ses yeux. Colby ?

— Non, un inconnu que je venais de rencontrer. Je ne me rappelle même pas son nom. Nous nous sommes séparés après quelques baisers.

— Quelques baisers ! gronda-t-il.

Il prit le visage de Lauren entre ses mains, l'encadrant d'une façon possessive et déclara :

— Ne permets plus jamais à un homme de te toucher, car je le tuerai. Je t'aime. Depuis l'instant où je t'ai vue, je t'aime. Tu marchais avec une grâce de fée, tes cheveux blonds évoquaient le clair de lune. Au premier coup d'œil, j'ai compris que tu m'étais destinée.

Il se pencha et l'embrassa.

— Lauren, dis-moi que tu m'aimes.

— Je te l'ai déjà dit, murmura-t-elle.

— Tu m'as surtout dit que tu me haïssais.

— Comprends-moi, fit-elle avec un soupir. Je me méprisais tellement pour tenir encore à toi après ce qui s'était passé.

— Et maintenant ?

— Maintenant, je peux t'avouer mon amour sans réserve.

Leurs lèvres s'unirent d'abord en un baiser de pure tendresse, puis Andreas noua ses bras autour d'elle l'attira contre lui et l'embrassa avec passion.

— Es-tu prête à te remarier avec moi ? s'enquit-il ensuite.

— Quand tu le voudras, fit-elle, se laissant aller contre lui.

— Il y a une condition.

— Une condition ? répéta-t-elle en se redressant instantanément.

— Oui, confirma-t-il en épiant sa réaction. Je ne veux plus que tu revoies Colby.

— Je le connais depuis toujours. Il a beaucoup fait pour moi, soupira-t-elle.

— Il en a trop fait, affirma-t-il.

Comme il avait raison, elle acquiesça à regret.

— Tu ne vas tout de même pas m'empêcher de revoir mon père ? lança-t-elle.

— Il nous a nui aussi, mais je n'irai pas jusque-là, déclara-t-il.

Lauren posa alors ses mains sur ses larges épaules éprouvant une sensation de plaisir à leur contact et, sur un ton taquin, elle annonça :

— Moi aussi j'ai une condition.

Andreas haussa les sourcils.

— Ah ! Laquelle ?

— Garde-toi bien des autres femmes. La prochaine fois, je ne m'enfuirai pas chez mon père, je te tuerai avec l'un de tes pistolets !

Un lent sourire s'épanouit sur les lèvres d'Andreas.

— Je ne connais qu'un seul moyen infaillible pour éviter d'en arriver là. Ne me quitte plus jamais, Lauren. Chaque jour, quand je me réveille, je veux te trouver à mes côtés. A l'idée des matins où Colby t'aurais eue auprès de lui, je suis devenu fou. C'est cette image qui me hantait lorsque j'ai lu l'annonce de vos fiançailles.

— Dis-moi la vérité, glissa-t-elle. Ton accident s'est-il produit à cause de moi ?

Il souleva les épaules en signe d'ignorance.

— Je ne me souviens de rien. Je pensais à Colby et à toi, puis je me suis retrouvé à l'hôpital. Entre les deux, il y a un trou noir. Les médecins ont conclu à une amnésie provisoire et ils ne se trompaient pas. Dès ta deuxième visite, la mémoire a commencé à me revenir. Ma mère m'a beaucoup aidé.

— Même trop. Je ne l'aurais jamais crue capable d'entrer dans ton jeu si malhonnête.

— Elle m'aime, répliqua-t-il avec un sourire. Elle n'aurait pas voulu me contrarier dans l'état où j'étais.

— Mais qu'espérais-tu ? Tu savais que j'allais épouser Philip. Tout était fini entre nous.

Il la considéra sans cacher son amusement.

— Fini ! J'étais faible, mais assez lucide pour me rendre compte que tu tressaillais encore chaque fois que je te touchais. Et moi aussi, je te désirais comme un possédé. Au début, j'ai continué à simuler l'amnésie dans le seul but de pouvoir te caresser encore et t'embrasser. Et les projets plus ambitieux se sont présentés ensuite.

Prête à éclater de rire, Lauren s'exclama :

— Quel homme rusé et sans scrupules !

— C'est l'espoir qui m'a gardé en vie. J'étais comme

un pêcheur et je te tenais au bout de ma ligne. Je te regardais te débattre. Je savais que tu commençais à avoir des doutes, mais tu ne te débattais quand même pas beaucoup. J'ai alors pensé que seul avec toi sur cette île, je réussirais à vaincre tes dernières résistances.

— Oh, tu es vraiment un monstre ! s'écria-t-elle mais elle plaisantait cette fois.

Andreas l'embrassa avec fougue et, un peu plus tard, il aborda le problème de Niko :

— J'aime cet enfant, Lauren, bien qu'il ne soit pas de moi. Je l'ai toujours traité comme mon propre fils, je ne peux pas l'abandonner maintenant.

— Il n'en est pas question, assura-t-elle. Connaissant la vérité, je peux l'aimer sans arrière-pensée moi aussi. La jalousie ne corrompra pas mes sentiments.

Andreas la remercia d'une caresse pour sa générosité.

— Il faudra permettre à Gregori de le voir plus souvent, ajouta-t-elle. Il a visiblement été très ému en apprenant qu'il était le père de Niko.

— Il ne mérite pas ton indulgence, s'emporta-t-il. Mais nous enverrons de temps à autre Niko chez Rhea. Elle le considère comme son neveu.

— C'est une bonne idée, approuva Lauren.

Un coup frappé à la porte les fit sursauter tous les deux. Helen l'ouvrit et passa juste la tête.

— Dînez-vous ce soir, oui ou non ? lança-t-elle, s'exprimant comme toujours sur un ton très libre.

— Nous venons tout de suite, répondit Andreas, rayonnant de bonheur. Dépêche-toi de disparaître pour que je puisse d'abord embrasser ma femme.

— Si ce n'est pas encore fait, je me demande à quoi vous avez employé cette dernière demi-heure ! rétorqua-t-elle malicieusement en s'esquivant.

Les Prénoms Harlequin

LAUREN

fête : 10 août   couleur : vert

Fragile et délicate comme l'hirondelle, son animal totem, mais parfois tout aussi intrépide et déterminée, celle qui porte ce prénom possède une âme sensible et raffinée. Toute trahison la blesse cruellement, car il n'est de pire crime pour elle que de tromper un être aimé...

Aussi Lauren Grey ne se résout-elle pas à pardonner à celui qui jadis s'était joué d'elle avec une telle désinvolture...

Les Prénoms Harlequin

ANDREAS

fête : 30 novembre   couleur : rouge

Susceptible et orgueilleux à l'image du paon, son animal totem, celui qui porte ce prénom se distingue par une vitalité remarquable. Homme d'action, il sait faire preuve d'une volonté inébranlable qui tourne bien souvent à l'entêtement. Et là où la force s'avère impuissante, il s'emploie lui aussi à « faire la roue », autrement dit à déployer un charme étourdissant qui parvient à bout de toute résistance.

Ainsi, Andreas Keralides n'hésite pas à recourir à un subterfuge pour reconquérir celle qui un jour lui avait juré fidélité...

Bientôt, l'été!..

Avec ses journées chaudes et ensoleillées, l'été vous invite à la détente et à l'oubli…

Alors, faites provision de rêve, d'aventure et d'émotions heureuses! Sur la plage, à la campagne ou dans votre jardin, partez avec Harlequin, le temps d'un été, le temps d'un roman!

Chaque mois, 6 nouvelles parutions dans Collection Harlequin et Harlequin Romantique, 4 nouvelles parutions dans Collection Colombine et 2 nouvelles parutions dans Harlequin Séduction.

HF-SUM

Laissez-vous séduire . . .

HARLEQUIN SEDUCTION

Tout ce que vous attendez d'une grande histoire d'amour!

Excitant . . . l'action vous tient en haleine jusqu'à la dernière page!

Exotique . . . l'histoire se déroule dans des pays merveilleux aux charmes innombrables!

Sensuel . . . l'amour est passionné, le désir incontrôlable!

Moderne . . . l'héroïne est une femme épanouie, qui a de la personnalité!

Dès maintenant . . .
2 romans Harlequin Séduction chaque mois.

Ne les manquez pas!

Chez votre dépositaire ou par abonnement.
Ecrivez au
Service des livres Harlequin
649 Ontario Street
Stratford, Ontario N5A 6W2

Harlequin Romantique

...la grande aventure de l'amour!

Ne manquez plus un seul
de vos romans préférés:

abonnez-vous et recevez en
CADEAU quatre romans gratuits!

Harlequin Romantique
Les neiges
de Montdragon
Essie Summers

Harlequin Romantique
Naufrage
à Janaleza
Violet Winspear

Harlequin Romantique
Entre dans
mon royaume
Elizabeth Hunter

Harlequin Romantique
Un inconnu
couleur de rêve
Anne Weale

Éternelle jeunesse du roman d'amour!

On a l'âge de son esprit, dit-on. Avez-vous jamais songé à vérifier ce dicton?

Des romancières célèbres telles que Violet Winspear, Anne Weale, Essie Summers, Elizabeth Hunter... s'inspirant du vrai roman d'amour traditionnel, mettent en scène pour votre plus grand plaisir héros et héroïnes attachants, dans des cadres romantiques qui vous transporteront dans un monde nouveau, hors de la grisaille du quotidien. En partageant leurs aventures passionnantes, vous oublierez soucis et chagrins, vous revivrez les émotions, les joies...la splendeur...de l'amour vrai.

Six romans par mois... chez vous... sans frais supplémentaires... et les quatre premiers sont gratuits!

Vous pouvez maintenant recevoir, sans sortir de chez vous, les six nouveaux titres HARLEQUIN ROMANTIQUE que nous publions chaque mois.

Et n'oubliez pas que les 6 vous sont proposés au bas prix de $1.95 chacun, sans aucun frais de port ou de manutention. Pour vous assurer de ne pas manquer un seul de vos romans préférés, remplissez et postez dès aujourd'hui le coupon-réponse suivant:

Bon d'abonnement

Envoyez à:

HARLEQUIN ROMANTIQUE, Stratford (Ontario) N5A 6W2

OUI, veuillez m'abonner dès maintenant à HARLEQUIN ROMANTIQUE et faites-moi parvenir les 4 premiers livres gratuits. Par la suite, chaque volume me sera proposé au bas prix de $1.95, (soit un total de $11.70 par mois), sans frais de port ou de manutention.

Il est entendu que je pourrai annuler mon abonnement à tout moment, pour quelque raison que ce soit et garder les 4 livres-cadeaux sans aucune obligation. Nos prix peuvent être modifiés sans préavis.

NOM	(EN MAJUSCULES S.V.P.)

ADRESSE	APP.

VILLE	COMTÉ	PROVINCE	CODE POSTAL

Offre valable jusqu'au 30 novembre 1983.

376-BPQ-4AAB